OUBLIER
de Marie Laberge
est le deux cent trente-troisième ouvrage
publié chez
VLB ÉDITEUR.

Marie Laberge

Oublier

théâtre

vlb éditeur

VLB ÉDITEUR
4665, rue Berri
Montréal, Québec
H2J 2R6
Tél.: (514) 524.2019

Maquette de la couverture:
Mario Leclerc

Photos:
François Renaud

Photocomposition:
Atelier LHR

Toute représentation de cette pièce, en tout ou en partie, par quelque moyen que ce soit, par tout groupe (amateur ou professionnel), qu'il y ait un prix d'admission ou non, est formellement interdite sans l'autorisation écrite de l'auteure ou de son agent autorisé.

Pour obtenir le droit et connaître les conditions pour présenter cette pièce (ou toute autre œuvre de l'auteure), veuillez communiquer avec l'auteure, en écrivant au 5317, rue Waverly, Montréal (H2T 2X8), Québec.

Distribution en librairies et dans les tabagies:
AGENCE DE DISTRIBUTION POPULAIRE
955, rue Amherst
Montréal, Québec
H2L 3K4
Tél. à Montréal: 523.1182
       de l'extérieur: 1.800.361.4806

Données de catalogage avant publication (Canada)

Laberge, Marie, 1950-
    Oublier
    2-89005-282-6
    I. Titre.

PS8523.A24092 1987   C842'.54   C87-096352-X
PS9523.A24092 1987
PQ3919.2.L32092 1987

Tu sais, le mot grec pour vérité — aletheia — n'est pas le contraire de mensonge. Il signifie le contraire de lethe, oubli. La vérité, c'est ce dont on se souvient.

MARILYN FRENCH
Toilettes pour femmes

À Robert Claing

À Bruxelles
dans une version aménagée en français européen
avec la collaboration de Jacques De Decker
au Théâtre National de Belgique
le mardi 6 octobre 1987
dans une mise en scène de Jean-Claude Drouot
assisté de Luc de Groeve
une scénographie de Jean-Marie Fiévez
et une régie de Jacques Burgraeve.

Distribution

Janine Patrick	— Jacqueline
Marie-Luce Bonfanti	— Joanne
Sylvie Milhaud	— Judith
Patricia Houyoux	— Micheline
Jean-Michel Flagothier	— Roger

OUBLIER
de Marie Laberge
a fait l'objet d'une double création mondiale.

À Montréal
dans la version originale
à la Compagnie Jean Duceppe (1975) Inc.
le mardi 28 octobre 1987
dans une mise en scène de Marie Laberge
assistée de Luc Prairie
des décors de Pierre Labonté
des costumes de François Barbeau
assisté de Anne Duceppe
des éclairages de Michel Beaulieu
des accessoires de Normand Blais
et une musique de Jean Sauvageau.

Distribution

Rita Lafontaine   — Jacqueline
Paule Baillargeon   — Joanne
Louise Turcot   — Judith
Hélène Mercier   — Micheline
André Poulin   — Roger

PERSONNAGES

JACQUELINE
46 ans.

L'aînée de la famille, mariée, mère de deux enfants. Se sent responsable de tout et de tous. Incapable de faire face à la maladie de sa mère, elle nie l'évidence.

Nerveuse, angoissée, tendue, elle est incapable de composer avec ses sœurs. Elle voudrait vraiment tout contrôler.

JUDITH
40 ans.

A quitté le pays, donc la famille, depuis 15 ans. N'a qu'un seul regret: devoir revenir pour une seule soirée. Elle est divorcée. A cessé de discuter depuis longtemps.

JOANNE
37 ans.

Mariée, médecin et alcoolique. En pleine débâcle, en pleine détresse et magnifiquement au-dessus de tout ça. Elle, elle refuse de discuter.

MICHELINE
30 ans.

Célibataire, demeure encore chez sa mère. En chômage, elle sort de l'hôpital à la suite d'un accident. Elle devait prendre soin de sa mère. Elle est amnésique depuis deux mois. Elle ne discute donc pas.

ROGER
30 ans.

Le beau gars type: bien du muscle et c'est tout. Il ne vient en fait que vider le plat de sandwichs.

LE DÉCOR

L'intérieur d'une maison cossue. Le salon en bas, boiseries, fenêtre au fond, vaisselier, piano avec énormes chandeliers dessus et, à l'avant-scène, un divan qui fait face au public, une table basse et un ou deux autres fauteuils.

Le salon est surplombé d'une sorte de mezzanine. L'escalier pour y accéder est côté jardin. Il monte jusqu'à un palier où se trouve une porte, bifurque et mène à la mezzanine qui traverse toute la largeur de la scène, avec une rampe. Derrière se trouvent deux portes, l'accès aux chambres. On doit pouvoir voir dans la chambre de Micheline, soit grâce à un tulle ou à un autre artifice. La chambre de la mère n'a pas à être vue. La chambre de Micheline devrait être claire et simple, peu chargée au contraire du reste de la maison.

En bas de l'escalier, une porte menant à la cuisine. Côté cour, une autre porte, donnant sur le hall d'entrée.

On peut évidemment simplifier ce décor, le rendre moins lourd. Peu importe, l'essentiel étant de respecter les deux niveaux avec, dans le mi-temps, la porte de la salle de bains. On doit surtout sentir qu'il fait étouffant dans ce lieu et que, dehors, il fait tempête.

Première partie

Au début, Joanne est seule dans le salon. Elle ouvre le vaisselier, se prend un verre, sort la bouteille de scotch du bar et se sert une très généreuse rasade. Elle est parfaitement sobre. Elle remet la bouteille à sa place quand entre Jacqueline, chargée d'un énorme plateau en argent avec théière, plat de biscuits, etc.

JACQUELINE
Bon! j'nous ai faite du thé en masse. Ça va nous réchauffer.

On entend le vent dehors, une vraie tempête. Joanne regarde Jacqueline verser du thé sans dire un mot. Jacqueline s'agite, place les biscuits, le lait, le sucre, déplace les petites cuillères. Elle est nerveuse. Elle s'est assise sur le sofa, de dos à Joanne.

JACQUELINE
Tu parles d'un temps! Chus sûre qu'a viendra pas. A serait chez l'voisin qu'a n'en profiterait pour pas venir. J'tais sûre qu'y aurait une tempête de neige ou ben queque chose comme ça. C't'en plein son genre. Prends-tu du sucre, toi, j'me souviens pus?

Elle se retourne, voit Joanne qui lève son verre ostensiblement et prend une gorgée.

JACQUELINE

Déjà? Y est à peine cinq heures! Veux-tu d'la glace? T'es pas pour boire ça sec de même? (*Elle se lève, s'agite.*) Chus sûre que l'téléphone va sonner pour nous dire qu'a vient pas. Penses-tu que j'devrais y préparer une chambre ici? A pourra pas r'partir à soir certain! Y annoncent la tempête du siècle! Je l'savais qu'ça tomberait sur à soir. J'peux jamais rien organiser qui soit pas contrarié, moi. Pis tu sais comme moi que Judith a pas les déplacements faciles. Si j'pouvais savoir comment j'ai faite pour la convaincre…

JOANNE

J'vas aller m'chercher d'la glace.

JACQUELINE

Laisse faire, faut qu'j'y aille: j'ai faite des p'tites toasts au bacon en cas qu'a l'aurait faim.

Elle vient pour sortir, on entend la chaîne de toilette.

JACQUELINE

Eh seigneur! C'pas mêlant, à chaque fois qu'j'entends ça, le cœur me serre. C'pas humain!

Elle sort. Joanne s'écrase dans le sofa. Elle semble épuisée. En haut, Micheline met un disque sur le petit tourne-disque. Ce sont les premières mesures du deuxième mouvement du concerto nº 5 de Beethoven, juste avant l'entrée du piano. Elle écoute, puis arrête le disque avant l'entrée du piano. Elle n'écoute jamais une seule note de piano,

seulement l'orchestre. Jacqueline entre avec de la
glace et une assiette de toasts au bacon.

JACQUELINE

Bon, ça y est! Ça r'commence. Vraiment, y m'semble
qu'on aurait droit à un p'tit répit nous autres aussi. Comment t'a trouves aujourd'hui?

JOANNE

(*Laconique.*) J'l'ai pas vue.

JACQUELINE

T'es pas montée? T'as pas été la voir?

JOANNE

Non.

JACQUELINE

Tu devrais. J'me d'mande si a régresse pas. Pis l'docteur a
dit que l'plusse qu'on pouvait la mettre en présence de...

JOANNE

(*Se lève.*) Je l'sais.

JACQUELINE

Veux-tu y aller maintenant? J'vas t'appeler quand Judith
va arriver. Si elle arrive! Chus sûre que l'téléphone...

Sonnerie du téléphone dans le couloir jardin.
Jacqueline est déjà sur ses deux pieds.

JACQUELINE

Tiens! Qué cé que j't'avais dit? Si a m'fait ça, elle...

Elle sort en courant. Joanne va se resservir un scotch.
On entend encore une fois le début du concerto,

puis la flush des toilettes. Sur ce dernier son, on entend une porte s'ouvrir côté cour, des pieds se secouer en tapant fort sur le tapis, des bottes tomber. Arrive Judith, par la porte côté cour. Elle porte un manteau de fourrure très chic. Elle a ses souliers dans les mains. Elle les lance sur le sofa, retire son manteau qu'elle laisse traîner sur un fauteuil, sort un kleenex de son sac, se mouche. Joanne la regarde en souriant.

JUDITH

J'te gage que chus allergique à c'te maison-là! Ça sent la même affaire qu'y a quinze ans. Ça pue toujours autant!

JOANNE

Y a même des toasts au bacon pour pas qu'tu t'sentes perdue.

Judith met ses souliers en regardant partout. Puis, elle fixe Joanne. Un temps.

JUDITH

La dernière fois... c'tait à Paris. On a viré une crisse de brosse. Mémorable...

JOANNE

J'm'en souviens en tout cas. Une brosse d'une semaine.

JUDITH

On a ri.

JOANNE

Mets-en!

JUDITH

T'avais des problèmes.

JOANNE

J'en ai encore.

JUDITH

Y m'en reste queques-uns avec.

> *Elles se regardent avec tendresse. Joanne a presque l'air de sortir de son indifférence.*

JUDITH

(*Indique le verre de Joanne.*) Es-tu partie sur un aut' brosse?

JOANNE

Celle-là, a date de trois ans.

JUDITH

(*Va vers le vaisselier.*) T'as pris d'l'avance.

> *On entend Jacqueline avant de la voir.*

JACQUELINE

Ben, c'tait pas elle! C'tait Julie qui cherchait son walkman. Y était à sa place, ben sûr, encore un peu pis y y sautait dans face. J'te dis qu'les enf...

> *Elle entre et s'arrête interdite. Elle ne sait plus comment se tenir tellement elle est surprise.*

JACQUELINE

Judith! Enfin! Ben c'est à peine croyable. Avec le temps qu'y fait en plusse. J'disais justement ça à Joanne que tu pourrais jamais t'rendre avec un temps pareil.

JUDITH

Salut, Jacqueline.

Elles se regardent. Un temps.

JACQUELINE

Sais-tu qu't'as pas beaucoup changé? En dix ans…

JUDITH

Treize.

JACQUELINE

Ah oui? Tant qu'ça?

JUDITH

Ben oui: quinze que chus partie, treize que j't'ai pas vue.

JACQUELINE

C'est fou, han? La vie passe pis on s'rend pas compte.
Prendrais-tu un thé?

JUDITH

Non. J'vas prendre un scotch.

JACQUELINE

Vous êtes pas pour boire? On a des choses à discuter!

JUDITH

On l'sait qu'on est pas venues icitte pour avoir du fun. Ça
s'rait ben criminel qu'on n'aye, han Jacqueline?

JACQUELINE

C'pas ça, tu l'sais très bien. Mais la situation est assez complexe comme ça. Avec toutes les responsabilités qu'ça
implique. C'est pas facile, tu sais, demande à Joanne. En
six mois, là…

JUDITH

Well, on peut-tu prendre un verre tranquille avant d'abor-
der les problèmes complexes?

JACQUELINE

Ben oui, ben sûr, assis-toi, voyons! J'ai fait des toasts au bacon en cas qu't'aurais un creux. (*Elle lui tend l'assiette.*)

JUDITH

Non merci, j'ai mangé sur l'avion.

JACQUELINE

Ah, t'as pris l'avion! T'aurais dû nous l'dire, on s'rait allé t'chercher. Han Joanne? A l'a pris l'avion, avoir su... T'as pas eu d'misère à atterrir avec un temps pareil?

JUDITH

Moi, ça a très bien été, faudrait d'mander au pilote pour le reste.

JACQUELINE

Eh qu't'es folle! C'est ça j'voulais dire, voyons! Où t'as mis tes bagages?

JUDITH

À l'hôtel.

JACQUELINE

Ben voyons don, toi! T'es pas pour te payer l'hôtel quand on a une grande maison presque vide. J'vas t'installer une chambre en haut, tu vas être...

JUDITH

Jacqueline! J'suis à l'hôtel, mes bagages sont là, pis y est pas question qu'j'en sorte pour venir ici.

JACQUELINE

Ah ben c'est sûr qu'on veut pas t'forcer. Tu fais comme tu veux, han. Moi, c'tait pour toi, pour t'économiser c'facture-là. Han Joanne?

*Un temps. Joanne ne répond pas. Jacqueline se sert
un autre thé, visiblement mal à l'aise. On entend
la flush des toilettes. Jacqueline s'immobilise, la
théière en l'air, l'air affolé. Judith regarde Joanne,
Jacqueline, tour à tour.*

JUDITH

Come on! C'est quoi? C'pas un fantôme certain.

JACQUELINE

Ah bien, c'est ça là. C'est assez complexe. C'est de ça justement qu'on doit parler. C't'à c'propos-là. (*Un temps.*)
Bon... les choses ont changé là, depuis ma dernière lettre... j'veux dire depuis celle avant que j'te d'mande de
v'nir pour t'expliquer tout ça. C'est pas facile, Judith,
d'être toute seule tout l'temps pour prendre des décisions.
C'est pas facile à prendre. Pis j'voudrais pas que tu juges
trop vite, faut comprendre la situation. Pis, tu m'excuseras
Joanne, mais plus souvent qu'autrement, j'me suis r'trouvée toute seule pour tout régler.

JUDITH

God damn, qué cé qu't'as tant réglé?

JACQUELINE

Ben j'ai encore rien faite, j'ai pas signé. J'voulais ton avis.
(*On entend la flush.*) Eh, seigneur!

JUDITH

Qué cé qu'y a? Qué cé qu't'as faite?

JACQUELINE

(*Très malheureuse.*) C'est maman. A va mourir, Judith. Si
tu la voyais. C'est effrayant. Un bébé. Une p'tite fille de
rien, une tite enfant qui veut pas qu'on s'occupe d'elle.
Qui veut pas qu'on la touche, qu'on la lave. A m'appelle

même pus par mon nom. A me r'connaît pas. A pleure, pis deux minutes après, a s'fâche. Elle qui était si forte, elle qui décidait toute, est toute mêlée, a m'chicane tout l'temps, a me r'proche plein d'affaires que j'ai même pas faites, a m'insulte pis a m'traite comme si j'tais une voleuse pis une menteuse. A sait pus pantoute qui elle est, a sait même pus où elle est. Y a jusse ses yeux qui sont restés pareils qu'avant. Jusse ses yeux. Pis j'te dis que quand a s'fâche, c'est aussi épeurant que quand j'tais p'tite. J'sais pus quoi faire. A m'écoute pas pantoute. A l'écoute pus personne asteure. A sort pas des toilettes. A s'enferme là-d'dans, a s'assit là au cas... au cas qu'a s'échapperait sans savoir. Est toujours inquiète. C'est sa peur, ça, se rendre compte qu'a s'est échappée dans ses vêtements. Tu sais comment qu'est orgueilleuse? Ben a s'enferme din toilettes pis a reste là tout l'temps à flusher d'temps en temps, quand ça y passe par la tête qu'a l'a p'têtre faite. Y a rien pour la convaincre d'aller ailleurs. Pis j'l'ai toujours changée en faisant voir de rien. J'ai jamais eu l'air dégoûtée. Tu l'sais, j'ai eu deux enfants, j'les ai assez changés. Mais y a rien à faire, a s'enferme. Chus obligée d'y apporter à manger là. Pis quand a va dans sa chambre, a dit que j'l'embarre din toilettes, qu'est rendue prisonnière dans les toilettes. Mais c'est elle! C'pas moi. A l'a toute apporté ses affaires: ses livres, son chapelet, les photos, son linge. La toilette est ben qu'trop p'tite! Pis j'peux pas savoir si a mange ou ben si a jette son manger din toilettes. A maigrit tout le temps. Chus sûre qu'a mange pas. J'avais ôté les barrures pour sa sécurité. La scène qu'a m'a faite! A l'a failli m'tirer en bas des escaliers. C'tait trop dangereux, j'ai r'mis les barrures. A était même pas contente. A l'a dit à Joanne que c'tait elle qui les avait remises. C'est pas vrai. C'est moi. Est mêlée, est toute mêlée din dates. Hier a voulait son chapeau d'paille rose pour les noces de Jean-Baptiste. Tu sais mon oncle Jean qui est mort depuis vingt ans? A s'est choquée parce que j'y ai pas apporté l'bon chapeau. Mais a l'a pus son chapeau rose! Chus sûre qu'a l'a jeté ou ben donné. J'peux pas y expliquer, a comprend pas. Est assis là, sur les toilettes avec son costume du dimanche, sa sacoche, son chapeau bleu, pis a m'chicane parce que j'y ai volé l'chapeau d'paille rose. Si t'entendais c'qu'a dit. Des affaires épouvantables. Des mots qu'a l'a jamais dits. C'est épouvantable, j'pensais jamais qu'ça irait jusque-là. A demande du vingt-quatre heures asteure, pis on peut pus la laisser, c'est trop dangereux. Encore une chance qu'y aye pas d'prise de courant din toilettes. Mais a peut mettre le feu n'importe quand, d'mande à Joanne. A peut faire n'importe quoi. Moi, j'reste tant que j'peux, mais j'ai ma famille, mes enfants. Encore une chance que j'reste en arrière, j'peux traverser quand madame Poulain appelle. Mais madame Poulain est pas infirmière, a peut jusse voir au pire. Mais j'arrive pus, j'arrive pus pantoute. Surtout avec l'autre asteure. Faut faire de quoi là, sans ça, c'est moi qui vas craquer. Je l'dis pas pour faire pitié, mais c'est moi qui vas être malade. J'dors presque pus, chus rendue comme elle. A fait même pus de différence entre le jour pis la nuit, a dort jusse par tit-bouts pis on l'sait jusse parce qu'a l'arrête de flusher pendant une heure ou deux. Demande à Joanne si tu m'crois pas. A vient presque pas mais est docteur, elle, a l'sait.

JOANNE

(*De mauvaise grâce.*) Chus pas son médecin, chus sa fille.

JACQUELINE

Mais tu pourrais l'aider plusse, la soigner.

JOANNE

J'peux rien faire d'autre que c'que tu fais.

JACQUELINE

Ben tu pourrais l'faire des fois, me donner une chance.

JOANNE

J'fais c'que j'peux, c'est toute.

JACQUELINE

J'sais pas si tu traites tes malades comme t'a traites, elle, mais j'voudrais pas avoir affaire à toi si j'avais besoin d'aide.

JOANNE

Ben t'auras pas affaire à moi pis c'est toute.

JACQUELINE

(*Hors d'elle.*) Mais c'est ta mère!

JUDITH

C'est la mienne avec.

JACQUELINE

Ben oui, c'est pour ça que j't'ai faite venir aussi.

JUDITH

C'pas pour ça qu'chus venue, pis tu l'sais.

JACQUELINE

Viens pas m'dire que tu monteras pas la voir! Ça fait assez longtemps, là. A l'a assez souffert, tu pourrais au moins aller la voir. A va mourir! Pis après y va être trop tard. Tu vas t'en vouloir c't'épouvantable.

JUDITH

Ça m'surprendrait.

JOANNE

Y a jusse Jacqueline ici qui est surprise. On a toujours su c'que c'était c'te maladie-là, on a toujours su où ça menait, c'que ça produisait. Jacqueline veut pas. A s'bat contre la maladie comme si a pouvait faire queque chose. Comme si a pouvait sauver maman.

JACQUELINE

On peut l'aider, rendre sa fin moins dure. Moi, j'suis épui-sée, ça va m'prendre de l'aide. C'tait pas prévu comme ça.

JUDITH

(*Se lève et va se servir un scotch.*) J'espère que tu t'attends pas que j'm'installe ici.

JACQUELINE

Ben non, chus pas folle. Mais au moins, t'es venue discu-ter, nous aider à prendre des décisions.

JUDITH

Non, non, Jacqueline. Chus pas venue pour ça, pis tu l'sais. Ça fait longtemps que j'te l'ai écrit d'la mette dans une place où on s'occuperait d'elle. Ça fait longtemps que j't'ai dit que j'm'en occuperais pas, pis qu'tu pouvais prendre toute son argent pour qu'elle aye les meilleurs soins, le meilleur personnel. C'est son argent, c'est sa maladie, c'est sa vie pis sa mort. Je l'vivrai pas pour elle, çartain. Y a quat', cinq ans, quand tu m'as écrit qu'a était Alzheimer, c'est ça que j't'ai dit. Rien d'autre. C'tu vrai ou ben c'pas vrai?

JACQUELINE

Ben oui mais t'étais pas là, toi, à la voir vivre...

JUDITH

God damn Jacqueline, vas-tu finir par m'écouter? Tu veux sauver ta mère comme si c'tait ta vie qu'tu sauvais. C'est d'tes affaires. Mais moi, c'est pas ma game. Pis arrête de vouloir toutes nous enrôler dans l'opération sauvetage. T'es comme elle. Quand t'as queque chose dans tête, faut

qu'tout l'monde fasse comme t'as décidé, pis tu nous tuerais pour avoir c'que tu veux. Sauve-la si tu peux, mais
embarque-moi pas là-d'dans. Ni moi, ni Micheline, as-tu
compris?

JACQUELINE

Ça peut pas être plus clair. J't'ai pas souvent dérangée que
je sache. Tu t'es sauvée assez loin pour qu'on puisse pas
t'atteindre facilement.

JOANNE

Jacqueline, commence pas là-d'sus, o.k.? Ça fait treize ans
qu'vous vous êtes pas vues, on va essayer de rester polies
pour une fois.

JACQUELINE

C'est ça, prends pour elle!

JOANNE

Jacqueline, si tu l'prends sus c'ton-là, on fera pas a veillée.

JACQUELINE

(*Insultée.*) Vous pouvez prendre les décisions toutes seules
aussi! Vous avez l'air capables de vous entendre. Y aura
pas de discussions ni d'émotivité. Ça a ben l'air qu'y a rien
qu'moi qui a des sentiments ici.

JUDITH

Pour elle, peut-être.

JACQUELINE

J'te comprends pas, Judith! Je l'sais pas c'que t'as à t'entê-
ter d'même, pis à y en vouloir autant. A t'a pas tuée! C'est
ta mère!

JUDITH

What the hell would you know?

JACQUELINE

J'y ai d'mandé, qu'est-ce que tu penses? J'y ai d'mandé c'que t'avais à y r'procher.

JUDITH

Pis ses explications t'ont faite du bien? Ça t'a permis d'm'haïr en paix? Avec la bénédiction d'ta mère?

JACQUELINE

T'es t'injuste Judith. T'es dure pis injuste. Ça fait p'tête ton affaire d'la traiter comme un monstre, mais c'est pas c'qu'elle est. Elle, elle a souffert toute sa vie d'ton attitude. Toute sa vie. Elle était prête à r'connaître bien des torts, mais t'as jamais daigné y faire un seul reproche. Pour une fille si sûre de ses positions, c'pas très fair-play.

JUDITH

T'en as l'air d'une fair-play, toi!

JACQUELINE

Au moins, j'dis c'que j'pense.

JUDITH

Dans ton cas, c'est compulsif. T'as aucun mérite, ça t'prend ça.

JOANNE

Ça s'pourrait-tu qu'on essaye de discuter sans faire le procès de toutes nos vies? Jusse essayer d'voir c'est quoi l'problème? Parce que moi, va falloir que j'y aille tantôt.

JACQUELINE

Avec le temps qu'y fait, ma p'tite fille, pis les scotch que t'avales, y s'ra pas question que tu prennes le volant à soir.

JOANNE

Aye, c'est moi l'docteur ici. Chus pas encore Alzheimer. Occupe-toi d'la mère, pis laisse faire mon état.

Le téléphone sonne.

JOANNE
Bon, c'coup-là, c'est Jean qui trouve pus l'heure sus sa montre.

Jacqueline sort en courant.

JOANNE
Fait chier des fois, elle.

JUDITH
Si j'tais pas si vieille, j'penserais presque que c'est maman.

On entend flusher. Un temps.

JUDITH
Joanne?

JOANNE
Mmm?

JUDITH
Comment a va?

JOANNE
Maman?

Judith fait non doucement. Elle est triste, inquiète.

JOANNE
Michou?

JUDITH
Micheline, oui.

JOANNE

C'est elle que t'es venue voir, han?

JUDITH

Ben sûr. Jacqueline m'a écrit en post-scriptum sus sa grand' maudite lettre: «Miche est à maison. Supplément de travail. Faudrait voir à ça.» C'pas mêlant: faudrait voir à ça... j'ai eu un frisson pis j'ai pris l'premier avion.

JOANNE

Tu veux mon avis de sœur ou ben d'docteur?

JUDITH

Les deux.

JOANNE

Le docteur sait rien, la sœur s'en doute. Amnésie totale ou partielle, c'est l'avenir qui va l'dire. Aucune autre séquelle à part une jambe raide, pis une main plus molle. Pis encore, ça va partir en physio. La tête est parfaite, intacte. Les tests donnent un bon quotient, une mémoire cognitive parfaite, une mémoire émotive à zéro. C'qui veut dire qu'a peut signer son nom si on y dit comment a s'appelle. Elle est polie, gentille, froide et reconnaît personne. Ça peut revenir aujourd'hui, ou demain ou jamais.

JUDITH

Ton pronostic?

JOANNE

Jamais.

JUDITH

C'est la sœur ou ben l'docteur?

JOANNE

La sœur. Tu vas-tu monter?

JUDITH

Oui.

JOANNE

80 % de chance qu'a te r'connaisse pas, tu l'sais?

JUDITH

Oui.

JOANNE

À l'hôpital, le personnel m'a dit qu'y avait des téléphones réguliers pour s'informer d'son état. C'tait toi?

JUDITH

Ben sûr.

JOANNE

Pourquoi t'es pas venue? Pourquoi tu m'as pas appelée?

JUDITH

(*Hausse les épaules.*) J'avais peur. J'sais pas… J'arrive pas à croire qu'a pourrait m'avoir oubliée. Pis y avait un gros contrat à finir.

JOANNE

Un gros contrat…

JUDITH

Tu sais ben que c'pas ça. J'savais pas quoi dire ni quoi faire, fa que j'me sus fermé la gueule pis j'ai attendu d'sentir de quoi.

JOANNE

Pis là t'es venue?

JUDITH

Ouain. J'ai senti qu'Jacqueline allait régler ben des affaires.

JOANNE

A s'en fait pour maman.

JUDITH

Pis j'm'en fais pour Micheline.

Un temps.

JUDITH

T'en fais-tu pour quequ'un, toi?

JOANNE

Pour moi.

JUDITH

Ça va ben.

JOANNE

Chacun son lot.

JUDITH

C'est quoi ton lot?

JOANNE

Presque rien: Hervé veut divorcer.

Jacqueline arrive.

JACQUELINE

Bon! C'est réglé. Des p'tits problèmes avec la laveuse. Ça fait deux semaines que chus supposée la faire réparer. Mais avec maman... chus jamais sûre d'être à maison. Avez-vous faim? Y a du poulet qu'on pourrait faire chauffer.

JUDITH

Non, moi j'monte.

JACQUELINE
Vas-tu la voir?

JUDITH
Chus venue pour ça, my dear.

Elle monte.

JACQUELINE
A s'en va voir Miche?

JOANNE
A va pas aux toilettes certain.

JACQUELINE
A la r'connaîtra pas plusse, j'sais pas c'qu'a s'imagine...

JOANNE
Énerve-toi pas Jacqueline, a s'imagine rien. Est comme nous autres, c'pas l'espoir qui la fait avancer.

Elle s'écrase dans un fauteuil.

JACQUELINE
Eh qu'j'haïs ça quand tu parles de même!

> *Elle s'assoit, se verse du thé. L'éclairage descend, reste en pénombre. Judith est sur le palier. Elle passe devant la porte des toilettes, met le plat de la main dessus, petite tape puis passe. Elle s'approche de la chambre de Micheline très doucement, elle est très émue, elle frappe et entre. Micheline est en train de lire. Elle lève la tête et regarde Judith fixement, interrogativement. Un long temps.*

MICHELINE

(*Pas sûre.*) Bonjour…

JUDITH

Bonjour.

MICHELINE

J'suppose que j'devrais vous reconnaîre. J'm'excuse, j'peux pas.

JUDITH

Non, c'pas grave. J'savais que c'tait pas possible.

MICHELINE

Vous m'connaissez?

Judith fait oui, émue.

MICHELINE

Depuis longtemps?

Judith fait oui. Micheline se lève, va vers la fenêtre.

MICHELINE

Le pire, vous savez, c'est quand on voit ben qu'on devrait se souvenir. Quand on l'voit dans déception des autres.

JUDITH

Ça doit être assez dur, c'est vrai.

MICHELINE

C'est vraiment l'impression d'être devant quelqu'un qui en sait plus long sur vous que vous-même. Des fois, c'est agréable, des fois ça l'est moins.

JUDITH

À quoi ça ressemble quand c'est agréable?

MICHELINE

Prenons vous. Quand vous me r'gardez, j'ai l'impression que vous pensez que j'suis quelqu'un. Une personne. Une personne entière. J'veux dire, avec un caractère, des envies, des intolérances, une sorte de vie. J'ai l'impression d'être une fille sympathique avec vous.

JUDITH

C'est c'que j'pense que t'... que vous êtes.

MICHELINE

Celle en bas, avec... (*Elle fait un geste vague de coiffure avec sa main, en désignant celle de Jacqueline*) Line! (*Elle sourit, très fière d'avoir trouvé le nom.*) Oui, Line, j'me sus souvenu d'son nom. Elle, elle a l'air de savoir que j'suis quelqu'un d'affreux, une fille détestable, capricieuse, qui fait exprès de faire des problèmes. Et à chaque fois que j'y parle, elle me r'garde avec des yeux incrédules. La femme qui s'appelle Line pis qui reste ici croit pas pantoute que j'me souviens pas. A m'teste tout l'temps. Je l'sais à cause de sa façon de me r'garder dans c'temps-là.

JUDITH

Ah oui? C'est comment?

MICHELINE

Comme les médecins qui font des tests ou ben les infirmiè-res quand y essayent queque chose de neuf. Y ont toutes l'air d'attendre queque chose, c'est comme dans leurs yeux. Y deviennent un peu plus intéressés par toi. Y regar-dent plusse on dirait.

JUDITH

Mais l'autre... Line... c'est pas un médecin?

MICHELINE

Non, non, c'est ma sœur. C'est c'qu'a dit. A m'a montré des photos. Ça doit être vrai.

JUDITH

J'pense que oui.

MICHELINE

Difficile pour moi de dire que j'sens pas ça. J'sais même pas c'que c'est supposé être, une sœur. Voyez-vous si c'est fou, vous pourriez m'dire que vous êtes ma sœur, pis je l'croirais tout d'suite.

JUDITH

Ah oui?

MICHELINE

Oui. J'dirais, elle, c'est possible, ça s'peut.

JUDITH

Vous... vous pourriez vous choisir une famille, prendre les sœurs que vous voulez, la mère que vous voulez.

MICHELINE

Ça marche pas d'même. Faudrait que je sois dans une place où personne me connaît. Où personne sait mes souvenirs.

JUDITH

Ça doit ben s'trouver.

MICHELINE

Mais qui m'dirait qui j'suis?

JUDITH

Vous!

MICHELINE

Toute seule?

JUDITH

Pourquoi pas? Des fois quand on s'comporte comme les

autres ont l'air de s'y attendre, on devient l'genre de personne qu'on haït l'plusse au monde. J'sais d'quoi j'parle, j'l'ai déjà fait.

MICHELINE

Mais vous, vous vous en souvenez.

JUDITH

Ouain, j'm'en souviens. Pis l'plus souvent, j'aimerais mieux pas.

MICHELINE

On dit ça…

JUDITH

On dit ça, pis on l'pense. Tout l'monde oublie. On oublie c'qu'on veut pas, c'qu'on peut pas savoir, c'qui fait trop mal. Moi, j'ai connu quelqu'un qui avait oublié une des parties les plus importantes de sa vie. Y y manquait huit ans. A se souvenait de rien avant l'âge de huit ans. Mais personne s'en est aperçu: avant sept ans, c'pas supposé être grave. Pis les souvenirs, ça varie tellement, personne est pareil là-d'sus, sauf ben sûr quand ça arrive comme pour toi, où toute ta vie prend l'bord, où tu sais même pus ton nom.

MICHELINE

Ah je l'sais maintenant!

Elle ouvre son livre à la première page et lit.

MICHELINE

Miche.

JUDITH

(*Prend le livre brutalement.*) Qui c'est qui a écrit ça?

*Micheline hausse les épaules pour signifier qu'elle
ne le sait pas.*

JUDITH

(*Plus doucement en lui remettant le livre.*) C'est pas toi!
C'est pas toi qui as écrit ça. Chus ben contente. C'est pas
ça ton nom. Ton nom est ben plus beau qu'ça.

MICHELINE

Ah oui?

JUDITH

Les médecins t'appelaient pas Miche?

MICHELINE

Y ont essayé pas mal d'affaires.

JUDITH

Veux-tu que j'te dise ton nom ou ben t'aimes mieux attendre? J'ai pas envie de t'faire l'école ni de t'forcer.

MICHELINE

(*Essaie de se souvenir.*) L'autre… l'autre femme qui vient
ici m'appelle pas pareil. A m'donne un aut' nom. A vient
moins souvent que… Line.

JUDITH

Est-ce qu'est jeune ou vieille?

MICHELINE

Ah la vieille a parle pas. A vient ici la nuit, a vient s'coucher ici. A parle à quelqu'un d'autre. A parle tu-seule. A
m'demande rien. Pis ça y fait rien que j'me souvienne pas.
La vieille est pas d'trouble pantoute. A parle à Judith pis
ça pas l'air d'être moi.

JUDITH

À qui?

MICHELINE

À Judith. A dit tout l'temps c'nom-là. (*Soudain inquiète.*)
C'est pas moi?

JUDITH

Non, non, inquiète-toi pas.

MICHELINE

Ça devient tellement épeurant des fois. Comme quand on
roule la nuit dans campagne, pis qu'on voit jusse une fois
rendu sur les affaires, jusse quand on a l'nez d'sus. On a
beau mette les hautes, on voit pas loin.

JUDITH

(*Doucement.*) Ça, tu t'en souviens?

MICHELINE

Pardon?

JUDITH

Les phares, la nuit. La façon qu'on voit quand on conduit
la nuit, l'impression que tout est révélé à dernière minute,
c'est un souvenir, ça. C'est queque chose d'émotif.

MICHELINE

Ah oui? Êtes-vous sûre?

JUDITH

Me semble. Tu t'en souviens ou ben tu l'sais?

MICHELINE

C't'une impression... j'sais pas si j'sais conduire. C'est
comme une impression de noirceur, pis après de lumière.
J'peux pas dire si je l'ai déjà vécu ou non. Faudrait demander à celle qui reste en bas, Line, si j'sais conduire. Elle, a
l'sait.

JUDITH

Oui, elle a sait toute.

MICHELINE

Vous l'aimez pas?

JUDITH

Ça, c'est c'que j'appelle une question compliquée.

MICHELINE

Ça c't'une réponse que j'aurais pu faire. C'est drôle, han, de s'trouver devant des gens pis de pas savoir si on est supposé les aimer ou pas. De pas savoir si c'qu'on sent là, sus l'coup, est logique avec le passé. J'ai souvent peur de faire des gaffes. Fa que j'dis rien. J'attends que ceux qui viennent me disent c'que chus supposée dire.

JUDITH

Pis y l'disent?

MICHELINE

Toujours.

JUDITH

Même le médecin?

MICHELINE

Non, lui y joue avec des photos, des tests. Y a l'air ben découragé d'moi. La femme d'en bas, Line, y parle toujours comme si j'tais pas là, comme si, maintenant, j'avais pas ma tête. L'autre... celle qui s'appelle (*Elle cherche un peu.*) Anne, oui, Anne, elle a dit rien.

JUDITH

Rien?

MICHELINE

Non, est inquiète. Mais c'pas moi qui l'inquiète. Des fois

a vient ici jusse pour avoir la paix. A s'assit là, sus l'lit. A prend un verre, pis a dit rien. Est mieux ici. C'est ma sœur elle aussi. Line me l'a montrée sur la photo.

JUDITH

Combien y avait d'personnes sur la photo?

MICHELINE

Quatre: moi, Line, Anne, pis une autre.

JUDITH

À qui elle ressemble?

MICHELINE

Sais pas. Jamais vu cette femme-là. Anne dit qu'c'est la vieille, la vieille qui vient ici la nuit. Line, elle, dit qu'c'est ma mère. A sait pas qu'la vieille vient ici la nuit. Faut pas y dire, a s'choquerait. Vous y direz pas, han? Vous ferez pas ça?

JUDITH

As-tu peur d'elle?

MICHELINE

Non, mais c'est quelqu'un de très inquiet. A pense jusse à vieille, a parle jusse d'elle. J'pense qu'est plus malade que moi.

JUDITH

Parles-tu d'la vieille ou d'Line?

MICHELINE

Ah... des deux. La vieille me fait penser à une autre à l'hôpital qui s'trompait tout l'temps d'chambre pis qui arrivait à tout heure du jour pis d'la nuit pour me sortir de son lit qu'a disait. Moi, j'disais rien, j'sortais du lit, j'tais sûre que j'm'étais trompée, que j'tais mêlée. Mais une fois rendue au poste, les gardes me disaient de r'tourner dans mon lit, que c'tait ma chambre pis mon lit. On revenait en gang, y sortaient la vieille de mon lit. A voulait rien savoir. A s'choquait. C'est la première personne de qui j'me sus souvenue. Y fallait ben. La première à qui j'ai dit non, t'es plus mêlée qu'moi la vieille, r'tourne chez vous. À fin, j'savais même où était sa chambre. J'm'en souvenais. J'allais la r'conduire. A bougonnait, a gueulait, pis moi j'la traînais par la jaquette jusqu'à sa chambre. J'tais fière de moi, j'savais enfin queque chose: j'savais que c'lit-là, c'tait mon lit, ma place. La vieille pouvait dire c'qu'a voulait, c'est moi qui pensais la bonne affaire. (*Un temps.*) C'est mon premier souvenir. Maintenant, mon passé, c'est ça.

JUDITH

Tu veux dire le premier souvenir de ta vie, maintenant?

MICHELINE

Ouain. Le premier souvenir de ma vie... La première fois qu'la vieille est arrivée ici dans ma chambre, j'l'ai pas r'connue. Là, j'ai eu peur d'avoir toute perdu c'que j'avais gagné. Pis a s'est mis à placoter pis à parler à Judith, pis a s'occupait pas d'moi. A s'couchait dans l'fauteuil. A m'a jamais d'mandé mon lit. Jusse les toilettes. A me d'mande les toilettes. Chus allée la r'conduire à celles d'en bas, parce que celles d'en haut, y sont barrées. A jamais voulu dépasser l'palier. A s'est assis din marches, pis a l'a chigné. J'la laisse faire. J'm'en r'tourne me coucher dans c'temps-là.. (*Un temps.*) Pensez-vous qu'c'est vraiment ma mère?

JUDITH

A doit pus être la mère de personne.

MICHELINE

Non, a peut pus être la mère de personne. Celle de l'hôpital non plus. A l'avait des enfants qui venaient la voir. Pis c'tait eux autres qui faisaient la mère. Elle, a pouvait même pus être sa propre mère.

JUDITH
(*Pour elle-même.*) C'est quoi être une mère?

MICHELINE
(*Après un temps.*) Take care.

Sidérée, Judith regarde Micheline.

JUDITH
Tu l'as dit en anglais!

MICHELINE
J'dois savoir l'anglais.

JUDITH
Tu peux-tu traduire?

MICHELINE
Take care... j'sais pas. J'sais pas d'où ça vient. Faudrait demander à...

JUDITH
Non, non, laisse faire ça va v'nir un jour. Tu vas l'trouver toute seule. Demande à personne sauf à toi.

MICHELINE
Pourquoi? Y a sûrement quelqu'un qui l'sait.

JUDITH
Oui, mais y a personne qui l'sait mieux qu'toi.

MICHELINE
Ça m'avance pas tellement ça.

JUDITH
Oui: on sait que quand on dit *mère*, pour toi, c'qui vient en premier c'est take care.

MICHELINE

Ça l'air de vous faire plaisir.

JUDITH

Certain qu'ça m'fait plaisir.

MICHELINE

C'qui m'choque, c'est que vous, vous l'savez où j'ai pris mon take care.

JUDITH

Oui, c'est vrai, j'pense que je l'sais.

MICHELINE

(*Choquée.*) Pourquoi vous l'dites pas, d'abord? Vous m'connaissez? Vous savez qui j'suis pis vous l'gardez pour vous? On joue pas aux mots mystères, là. On fait pas une partie d'cachette. Pour qui vous vous prenez? Vous v'nez ici, vous dites même pas vot' nom, vous dites que j'm'appelle pas Miche, pis vous ramassez vos indices sans rien dire, comme si c'tait une partie d'fun. Chus tannée! Chus tannée d'vous voir me r'garder comme si j'tais un magasin à surprises. Vous m'guettez comme si j'allais sortir le numéro gagnant. Allez-vous-en ailleurs chercher vos réponses. On gagne rien ici. Pis j'vous ferai pas l'honneur de vous r'connaître. Si y a une affaire qui m'écœure c'est ben d'voir vos faces de belettes qui guettent si j'vas m'trahir. Je l'sais pas qui vous êtes pis j'm'en sacre! J'attends pas qu'vous m'disiez qui j'suis non plus. Ça pourrait être n'importe quoi sauf moi. De toute façon, j'existe pus. J'ai pas d'mémoire, pas d'passé. Pis vous pouvez ben m'montrer les photos pis les preuves que vous voudrez, j'vous croirai jamais. C'tu clair, ça? Take care, j'espère que ça veut dire va chier, o.k.? J'en ai pas d'mère. Pis même si j'en ai une, j'la r'connaîtrais pas. Fa que j'en ai pas. Ça peut être la vieille pardue d'l'hôpital ou ben celle d'ici, j'm'en sacre. J'en ai pas besoin d'mère. Chus ben assez grande. Fa que merci beaucoup pour la consultation, pis bonsoir.

JUDITH

Ben voyons donc, j'm'excuse... j'pensais pas que j'te...

MICHELINE

Allez-vous-en! Avez-vous compris? Allez-vous-en avec vos souvenirs, pis vos connaissances pis vos excuses. J'veux rien savoir. Sacrez vot' camp!

Judith sort, complètement dépitée. Micheline met la musique à tue-tête. Aussitôt, Jacqueline se lève et monte les escaliers très vite, en beau maudit. Elle croise Judith sur le palier, devant les toilettes.

JACQUELINE

A l'a-tu encore oublié qu'a était pas tu-seule au monde, elle?

JUDITH

Ah fuck!

Et elle descend l'escalier. Jacqueline fait irruption dans la chambre de Micheline. Elle baisse le son du tourne-disque.

JACQUELINE

Ça va faire, madame la princesse! T'es pas tu-seule, ici. Un peu d'respect pour les autres si ça t'fait rien.

Et elle sort. En bas, Judith tire ses souliers, prend son manteau, le met, finit d'une traite le scotch de Joanne et prend son sac à main.

JOANNE
Où tu vas?

JUDITH
Prendre l'air! On étouffe icitte!

Elle sort.

JOANNE
(*Elle lui crie.*) Rapporte du scotch!

Elle se lève et va se servir le dernier scotch. Elle va à la fenêtre.

JOANNE
Rapporte du scotch pis un arbre de Noël. C'est beau Noël. C'est familial en crisse! Un beau Noël tout blanc. Joyeux Noël!

Elle cogne son verre contre la vitre et boit. Sur le palier, Jacqueline gratte à la porte de la salle de bains.

JACQUELINE
Maman? Maman... je l'sais qu'vous êtes là... Voulez-vous m'ouvrir la porte? C'est jusse pour une tite menute. Jusse pour voir si vous avez besoin d'queque chose. (*Un temps. Elle cogne doucement.*) Maman... soyez fine là, niaisez-moi pas. C'est Jacqueline. A veut savoir si maman est bien. Si maman a besoin d'aide. Mmmm? (*Un temps.*) Maman? (*Un temps.*) Eh seigneur! (*Elle change totalement d'attitude.*) Juliette, rouvre la porte tu-suite! As-tu compris, là?

La porte s'ouvre. Jacqueline entre. On l'entend sans rien voir d'autre qu'elle dans l'embrasure de la porte.

JACQUELINE

Mais qué cé qu't'as faite encore? Pourquoi tu manges ça? J'vas t'en donner du manger, moi. T'as jusse à sortir. Jusse à l'demander. Tu l'sais, on mange pas ça. C'est caca, c'est pas bon, c'pas du manger... Aide-toi don un peu là... Eh seigneur!

Elle revient sur le palier et crie en bas.

JACQUELINE

Y a-tu quequ'un qui pourrait v'nir m'aider? Joanne? Judith? Maman a mangé du papier d'toilette, là. A l'a faite un dégât. (*On entend la flush, Jacqueline se retourne, inquiète.*) Joanne? (*Elle revient dans la salle de bains.*) Ben non maman, pleurez pas voyons! Ma p'tite maman, pleurez pas. C'est pas grave, on va arranger ça. Vous aviez faim, han? J'vas vous faire une belle soupe. Ben non, voyons... tiens... l'autre main. Oui, c'est ça. Qu'est fine c'te maman-là.

Joanne monte doucement, très chancelante et pas pressée. Elle arrive au palier quand Jacqueline sort des toilettes, une poubelle pleine de papier de toilette dans les mains.

JACQUELINE

J'viens tout d'suite vous porter d'la soupe. J'vas vous aider à la manger. (*Elle voit Joanne qui se tient à la rampe.*) Merci beaucoup pour ton aide. T'as été très rapide. Toujours aussi efficace.

Elle descend. Joanne s'assoit dans les marches.
Jacqueline va dans la cuisine. Joanne s'appuie sur la
marche et se retourne en s'étirant vers la salle de
bains. Elle parle pour elle plus que pour sa mère.

JOANNE

Maman... voulez-vous en finir une fois pour toutes?...
Han? Voulez-vous en finir? Pis que j'vous aide?... On
ferait ça tranquillement toué deux... pis après, la sainte
paix... La sainte maudite paix!... Maman... y fait tempête
dehors pis vous savez même pus c'que ça veut dire. Pis
après, vous pourrez pus marcher, ni avaler. Même pas
l'papier d'toilette. Vous pourrez même pus manger des
kleenex comme vous aimez tant. Ça va être la misère noire,
maman... Maman... on va-tu vous rendre jusqu'à pus respirer? Après pus penser, pus crier, pus pleurer, pus marcher, pus manger, y va rester pus respirer pis pus rien...
L'hiver va être long, maman. J'ai ben peur de pas pouvoir
r'venir souvent. Qué cé qu'vous diriez d'un bon p'tit
médicament ben fort, dans un scotch ben tassé, han? Queque chose qui fait pas mal... queque chose de soft, queque
chose qui r'semble aux limbes. Han maman? Avez-vous
vot' voyage, là? On n'est pas pour vous r'garder dépérir
jusqu'à fin d'même. Crisse... on n'est pas au cirque!

Jacqueline arrive, un plateau dans les mains. Il y a
un bol de soupe dessus.

JACQUELINE

Non, on n'est pas au cirque, mais c'pas loin. Envoye,
tasse-toi que j'passe! Si t'aides pas, au moins, nuis pas.

JOANNE

Enwoye, ma Jacqueline, va nourrir la bête!

JACQUELINE

Si c'est toute c'que t'as d'intelligent à dire, tu serais mieux d'aller t'faire un café.

JOANNE

Occupe-toi pas d'moi, chus encore ambulante.

Elle se lève péniblement.

JACQUELINE

M'occuperai pas d'toi certain. (*Elle entre dans la salle de bains.*) Bon... on va manger d'la bonne soupe pas trop chaude. (*Elle ferme la porte.*)

Joanne descend les escaliers.

JOANNE

D'la bonne soupe, du bon soluté, d'la bonne et belle mort. Han maman? On va faire sauter ça, c'te maison-là.

Elle entre au salon, dépose son verre. Elle regarde sa montre et se laisse tomber sur le sofa.

JOANNE

M'as-tu l'appeler? M'as-tu l'appeler pour savoir qu'y est pas là? Ou ben m'a m'faire accroire qu'y est là en l'appelant pas?... Non, lui va m'appeler. Ça c'est bon. Y m'a jamais appelée, pis c't'à soir qu'y m'appelle. Oùsqu'est mon Paget? Mon Paget! Oùsqu'est ma sacoche?

Elle cherche dans le salon et trouve sa sacoche. Elle sort son Paget, le met sur la table à thé comme si c'était son bien le plus précieux.

JOANNE

Envoye Hervé! Asteure appelle. Fais ça pour moi. Mettons qu'c'est ton cadeau d'Noël. Pas cher, han? Laisse faire les perles, pis appelle! C'est même pas un longue distance. Fais pas l'cheap, Hervé… Si t'appelles, j'dessaoule pour le reste de mes jours.

Le téléphone sonne dans la cuisine.

JOANNE

Oh crisse! J'savais pas qu'tu y t'nais tant qu'ça!

Jacqueline sort la tête de la porte de la salle de bains.

JACQUELINE

Judith! Veux-tu répondre? Si c'est chez nous, dis que j'rappelle.

Joanne va vers la cuisine.

JOANNE

Laisse faire, ça va être Hervé.

Elle revient très vite et crie.

JOANNE

Toi, pis ta crisse de famille!

Elle prend son Paget, le tire au bout de ses bras.

JOANNE

Laisse faire le cadeau d'Noël, Hervé.

Jacqueline se repointe.

JACQUELINE

Pis? C'tait pour qui?

JOANNE

L'Père Noël qui voulait savoir si y avait une cheminée ici.

JACQUELINE

Judith, veux-tu m'dire qui appelait?

JOANNE

Judith a sacré son camp, pis j'vas faire pareil avec.

JACQUELINE

Comment ça, Judith est partie? C'tu vrai, ça? Attends un peu, toi, que j'descende... (*Elle rentre dans la salle de bains.*)

Joanne se couche sur le divan.

JOANNE

Si y faisait pas si mauvais, j'sortirais d'ici.

Micheline descend les escaliers lentement, sans bruit. Arrivée en bas, elle se place derrière le sofa et regarde Joanne qui a les yeux fermés.

MICHELINE

Anne?

Joanne ne bronche pas. Micheline touche son bras.

MICHELINE

Anne?

JOANNE

Jo-anne, *Jo*-anne, pas Anne! Joanne, Jacqueline, Judith, t'as-tu compris? Not'mère, a l'aimait ça son nom. A s'voyait partout.

MICHELINE

Excuse-moi. C'est qui l'autre?

JOANNE

Quel autre? T'es-tu rendue qu't'hallucines toi avec?

MICHELINE

L'autre femme.

JOANNE

C'est Jacqueline pis est fatiquante en esprit.

MICHELINE

Non, l'autre. Celle qui vient de venir me voir.

JOANNE

Est partie vite, laisse-moi te l'dire.

MICHELINE

C'est qui?

Joanne se redresse, regarde Micheline tout étonnée.

JOANNE

Es-tu descendue tu-seule?

MICHELINE

Ben oui.

JOANNE

D'habitude, tu vas pas loin d'même.

MICHELINE

C'tu ma mère?

JOANNE

Qui ça, moi?

MICHELINE

Non, la femme. La femme qui est venue m'voir.

JOANNE

Ben non, voyons. C'est ta sœur, comme moi pis l'autre.
On est quatre dans famille. Quatre belles tartes pas plus
débrouillardes une que l'autre. Din contes de fées, y sont
toujours plus belles les unes que les autres. Ben icitte, on
est toutes plus tartes les unes que les autres. Quatre tartes,
Michou...

MICHELINE

(*L'interrompt.*) Qu'est-ce que ça veut dire, take care?

JOANNE

Prends soin. Ça veut dire prends soin. Fais attention à toi,
prends soin d'toi.

MICHELINE

Ah...

Elle remonte l'escalier.

JOANNE

Aye!

MICHELINE

Quoi?

JOANNE

As-tu du scotch en haut?

MICHELINE

Non, j'ai jusse des cigarettes de cachées.

JOANNE

Ben cache-les ben, parce que l'général va t'les enlever.

MICHELINE

Je l'sais. La vieille veut fumer, pis l'aut' veut pas.

JOANNE

Si c'tait la seule affaire qu'a veut pas. (*Micheline continue à monter.*) Cé qui s'rait moins pire: mourir étouffée ou ben mourir brûlée en fumant sa dernière cigarette?

MICHELINE

(*Sur le palier.*) Mourir sans l'savoir...

JOANNE

Tu penses? Moi, j'aime autant rien savoir. Mourir d'un coup, comme quand tu fermes la lumière. D'un coup. Paf!

> *Jacqueline sort des toilettes, voit Micheline.*

JACQUELINE

Tu veux ton souper? J'arrive là. J'vas te l'porter. Chus débordée à soir, j'fournis pas.

> *Jacqueline descend. Micheline entre dans sa chambre et met le concerto pas trop fort. Jacqueline jette un coup d'œil dans le salon.*

JACQUELINE

Est pas partie pour vrai? A vient jamais! On n'a même pas eu l'temps d'discuter. Est aussi ben d'pas m'avoir faite ça, elle!

JOANNE

(*À moitié endormie.*) Est aussi ben!

JACQUELINE

T'es chaude! J'vas servir une soupe à Miche.

> *Elle part, va dans la cuisine. Elle revient, monte les escaliers avec un autre plateau. Elle va le porter dans la chambre à Micheline.*

JACQUELINE

Si tu pouvais t'faire à manger tu-seule aussi! Bon, là pour à soir, si tu pouvais essayer de pas écouter ta musique, ça m'arrangerait. Jusse à soir, c'pas trop te d'mander?

> *Le téléphone sonne.*

JACQUELINE

J'arrive!

> *Elle se précipite, descend les escaliers et va répondre à la cuisine. Fade out de l'éclairage. Quand l'éclairage revient, on entend la flush dans les toilettes. Joanne est toujours couchée sur le divan, les yeux fermés. Micheline est en haut, dos au public. Dès qu'on entend la flush, Jacqueline sort de la cuisine, vêtue d'un tablier, s'arrête au pied de l'escalier, écoute inquiète, regarde Joanne. Elle ramasse un verre, les souliers de Judith. Elle va les porter dans le vestibule. Elle reprend le plateau de thé et repart à la cuisine. Dès sa sortie, on entend un branle-bas côté cour. Bruits de bottes qui tombent, rires, voix fortes.*

VOIX DE JUDITH

Envoye le smatte, fais-lé ton smatte. Si tu veux visiter les belles maisons pis voir si ça pourrit par en-d'dans, faut qu'tu fasses ton smatte.

Elle arrive au salon, fourrure sur le dos, bouteille de Cutty Sark dans les mains et trimbalant, tirant par la manche un homme d'environ trente ans, beau et saoul.

JUDITH

Party time! V'là du renfort. (*Elle dépose le scotch devant Joanne ahurie qui se réveille.*) C'pas du Chivas, mais on s'ra pas fussées, y fait tempête. Laisse-moi t'dire que l'waiter le donnait pas. On aurait dit que c'tait sa dernière bouteille avant a grève. On devrait être bon pour faire un boutte avec ça. (*Elle va chercher des verres.*) Ah oui, y a l'smatte aussi! J'trouvais qu'ça manquait d'homme ici. Ça toujours manqué d'homme. Enwoye el' beau shapé, rencontre donc Joanne ma sœur. Joanne qui m'accote n'importe quand, sus n'importe quel scotch. This is Roger! Ouain, Roger qu'y s'appelle... y a pas choisi lui non plus.

ROGER

Bonjour Joanne... euh, bonsoir, j'espère que j'dérange pas.

JUDITH

Ben non, tu vois ben que l'party est pogné. On arrive en pleine foire, pas d'problème. C'est Noël! (*On entend la flush.*) Pis ça, c'est ma mère. On peut pas t'a montrer là, parce qu'est aux toilettes, pis qu'c'est long d'habitude. (*Jacqueline arrive, sans tablier, avec une belle grande assiette de sandwichs. Elle s'arrête, surprise de voir Roger.*) Pis v'là l'lunch! Avec Jacqueline, ma sœur Jacqueline, l'aînée, la plus vieille, la plus responsable, la plus fiable pis la plus plate! Jacqueline, c'est Robert, non, Roger!

Roger s'avance, s'excuse.

ROGER

J'espère que j'vous dérange pas. C'est Judy qui m'a invité, mais si j'dérange, soyez bien à l'aise…

JUDITH

Ah tu vas voir qu'est à l'aise all right! A l'air de rien d'même, mais c't'un moyen forman, my dear sister. Bon, là let's sit and have a drink! On va essayer d'savoir c'qui est arrivé à p'tite dernière. A s'appelle Micheline. Y a jamais personne qui a été capable de l'appeler d'même, mais c'est son nom pareil. Envoye le smatte, assis-toi là. (*Elle le tire vers le divan. Jacqueline s'écarte un peu.*) Scotch pour tout l'monde?

JACQUELINE

(*Très froide.*) Non merci.

JUDITH

Ah ben là tu m'étonnes!

JOANNE

Enwoye don, c'est Noël!

JUDITH

Pis un pour le p'tit Ro… roteux! (*Elle rit.*)

JACQUELINE

Excusez-la. Aimeriez-vous mieux un café? J'en ai dans cuisine.

ROGER

Non merci, j'pense que…

JUDITH

Excuse-toi pas pour moi O.K.? Si y a une affaire qui m'écœure... passe tes sandwichs pis excuse-toi pas pour moi.

JACQUELINE

(*Se lève.*) J'vas aller chercher l'café.

JUDITH

C'est ça, vas-y don! (*Elle dépose les verres, dévisse le bouchon, Roger prend la bouteille.*)

ROGER

J'vas servir.

JUDITH

Fais don ça, mon beau: t'as des bras, faut ben qu'ça serve. Oùsqu'y sont mes souliers? T'as-tu vu mes souliers, Joanne? Chus ben plus sexy en souliers. Pas d'souliers, moi, j'ai l'air de pas avoir de cul, comme l'autre. (*Elle montre la cuisine et se met à quatre pattes à terre pour chercher. Elle tape sur le tapis.*) Come on, come on! Oùsqu'y sont? Les p'tits maudits... Enwoye, v'nez-vous-en que j'montre mes jambes au beau monsieur.

JACQUELINE

(*Elle entre avec le café. À bout et assez méprisante.*) Y sont dans l'entrée. T'as dû marcher d'sus.

JUDITH

Right! (*Elle sort.*)

> *Jacqueline dépose la cafetière sur la table et profite de l'absence de Judith.*

JACQUELINE

Monsieur Roger (*Joanne rit.*), j'pense que j'vas profiter de l'offre charmante que vous m'avez faite tout à l'heure et que je vais vous demander de partir. C'est une réunion de famille importante, quoique ça en n'ait pas l'air et c'est strictement privé. J'suis désolée que Judith ait cru bon d'vous emmener ici, mais vous avez dû l'constater, elle avait pas toute sa tête. C'est pas son habitude, elle est bouleversée par la maladie de notre mère...

JUDITH

Fuck! Fuck you! Fuck la maladie d'ma mère! C'est toi qui m'rends malade. Pis l'beau smatte reste icitte! C'est mon tchum. J'ai besoin d'un homme, moi, chus une femme, pas une société d'État.

> *Roger s'est levé et va vers la porte où Judith essaie de mettre ses souliers.*

ROGER

On peut p'tête se voir une aut' fois ou ben plus tard.

JUDITH

Wo! J'connais ça les aut'fois. J'en ai vu des beaux bras sortir de ma vie d'même. Non, mon homme, tu t'assis, pis tu r'gardes. Ça va calmer les ardeurs de tout l'monde. C't'un arbitre. J'ai apporté un arbitre Jacqueline, t'es pas contente?

JACQUELINE

Non.

JUDITH

Est jamais contente. C'pas un anthropologue là, y t'mettra pas dans son livre. A peur de s'faire juger.

JOANNE

Bon allez-vous vous asseoir, là? J'aimerais ça qu'ça prenne pas toute la nuit.

JUDITH

Ouain, on a d'aut' chose à faire de nos nuits nous autres. (*Elle revient s'asseoir avec Roger. Elle croise ses jambes, provocante, et met la main sur sa cuisse, assez haut. Elle regarde Jacqueline pour l'écœurer.*) Baises-tu encore Jacqueline? (*Roger rit.*) Ou ben t'as réussi à faire accroire à Jean-Paul qu'la ménopause c'tait just too bad pour le cul?

ROGER

Ah c'est ça vos discussions d'famille?

JACQUELINE

Ça c'est celles de Judith. A s'trouve très drôle.

JUDITH

Me sus toujours dit que si tu baisais plusse ou ben mieux, tu serais moins plate. T'es faite pour ça tu sais, l'plaisir. C'pas jusse pour les femmes faciles. T'es pas obligée d'pas avoir de fun. C'pas marqué dans l'livre. R'garde ta sœur Joanne, a pas l'air d'une plotte pis a l'a du fun.

JOANNE

Laisse faire pour moi, Judith.

JUDITH

Ouain, des fois a l'a du fun. Roger, j'vas t'faire une proposition: tu pars avec Jacqueline pis t'a baises, O.K.? Chus sûre t'as jamais trompé ton mari, han Jacqueline? You bet, tu l'as jamais faite. (*Elle rit.*) Une vierge Robert, euh, Roger, une vraie vierge! Ça t'tente pas?

ROGER

Oh moi... j'dis pas non.

JUDITH

Symbole! Y dit pas non! Saute dessus, Jacqueline. Faut qu'tu fasses ça une fois dans ta vie, pis c't'à soir!

JACQUELINE

Bon Judith c't'assez! Ça commence à faire le délire! J'en ai assez avec les deux autres, tu commenceras pas certain. Change de sujet ou ben va-t'en.

ROGER

Ah... c'est dommage!

JACQUELINE

Vous là...

JUDITH

O.K., O.K., O.K. Shut up. Organise-toi avec tes troubles, hostie. J'te passerai pas mes amants toué soirs.

JOANNE

(*Regarde le fond de son verre.*) Ça s'pourrait que j'postule un moment donné.

JUDITH

Ben non, voyons: t'as marié Hervé parce qu'y avait un beau cul. C'est d'ailleurs tout c'qu'y avait.

ROGER

On pourra en r'parler, si vous voulez, chus intéressé...

JUDITH

Quand tu dis qu'un gars est willing. Est docteur, elle, ça s'ra pas assez de l'montrer, ton cul. Va falloir le faire aller. A n'a vu d'autres, elle.

JACQUELINE

(*Se lève.*) Coût don, fais-tu un effort pour être grossière comme ça?

JUDITH

I'll drink to that!

ROGER

Est drôle…

JOANNE

On finit-tu ça là? Ça commence à m'doser moi.

JACQUELINE

Y est minuit et demi. Y est pas mal tard, pis vous êtes pas mal avancées toutes les deux pour discuter sérieusement. On fera ça demain matin.

JUDITH

Non. À soir. C't'à soir ça s'passe. Je r'mets pus les pieds icitte moi.

JOANNE

J'aimerais mieux à soir.

ROGER

Moi, ça m'dérange pas, faites comme vous voulez. (*Il se prend un sandwich.*)

JACQUELINE

C'est ridicule!

JUDITH

Anyway, c'est comme nous autres. Assis-toi Jacqueline, pis dis-moi c'qui est arrivé à Micheline.

JACQUELINE

On n'est pas pour revenir là-d'sus.

JUDITH

You bet qu'on va en parler! Chus pas venue icitte pour savoir que ma mère a déménagé din toilettes.

JACQUELINE

(*Regard à Roger.*) Essaye d'être discrète, veux-tu?

JUDITH

Discrète my ass! J'veux savoir comment Micheline a eu ça!

JOANNE

On l'sait pas, Judith. J'te l'ai dit.

JUDITH

(*Montrant Jacqueline.*) Elle, a l'sait.

ROGER

A l'a tirée en bas des escaliers. Non! In the kitchen with the knife, non, the bedroom with the candlestick. The library with...

JUDITH

You shut up! Jacqueline, qué cé qui est arrivé?

JACQUELINE

J'te l'ai écrit. Ça a pas changé.

JUDITH

R'dis-lé.

JACQUELINE

(*De mauvaise grâce, avec un débit rapide.*) La police l'a trouvée y a deux mois, à trois heures du matin, sus l'bord d'la route, renversée supposément par une voiture, pas d'sac à main, les côtes brisées, un bras cassé, pis une jambe presque ouverte. Y l'ont emmenée à l'hôpital, l'ont faite soigner, pis y a pas eu moyen d'savoir son nom ni rien. On l'a trouvée Joanne pis moi en faisant des appels dans les hôpitaux le lendemain.

JOANNE

C'est Jacqueline qui a faite les téléphones. Moi, j'tais pas encore inquiète.

JACQUELINE

En tout cas, c'est ça. Pis depuis a s'souvient de rien. Est sortie de l'hôpital depuis deux s'maines, a reste dans sa chambre, a met tout l'temps l'même disque, a dit pas un mot, bouge pas, aide pas,...

JUDITH

Nuit pas!

JACQUELINE

Si tu veux. Mais faut la nourrir, s'en occuper.

JUDITH

Es-tu en train d'me dire que c'est trop d'ouvrage?

JACQUELINE

Ça s'pourrait.

JOANNE

A va fonctionner mieux. Faut y laisser l'temps.

JUDITH

Qui cé qui était là quand est partie c'soir-là? Avec qui elle était? Où est-ce qu'elle allait d'même? A était tu-seule? Y ont jamais r'trouvé l'chauffeur?

ROGER

Enwoye Sherlock Holmes, let's go!

JUDITH

Toi, l'épais, ta gueule! (*Roger mange un autre sandwich. Il vide systématiquement le plat.*)

JOANNE

Qu'est-ce que tu veux changer à c'qui est arrivé là?

JACQUELINE

Le résultat est l'même, peu importent les circonstances.

JUDITH

Non, non, y a des lois. Si c'est un «hit and run» a peut recevoir queque chose, d'l'argent. Pis si c'est pas ça, c'est important de l'savoir aussi.

JACQUELINE

De quoi tu parles? T'es au Québec, là, pas à New York. De toute façon, est protégée.

JOANNE

C'est quoi l'problème, là?

JACQUELINE

L'problème c'est que maman pis Miche, c'est trop pour une seule personne.

JUDITH

Aye, wait a menute! C'est qui d'vous deux qui l'a vue en dernier?

JOANNE

Pas moi certain. J'viens pas ici toué jours.

JUDITH

C'est toi?

JACQUELINE

Faut croire.

ROGER

Non, non, c'est moi, on a pris un scotch ensemble.

JUDITH

(*À Jacqueline.*) Y était quelle heure? C'tait quand? Comment a filait?

JACQUELINE

T'es pas sérieuse? Tu t'prends vraiment pour la police!

JUDITH

Jacqueline, c'pas a fin du monde, dis-moi-lé. Chus venue de New York pour savoir ça.

JACQUELINE

Je l'savais ben que tu t'étais pas déplacée pour maman!

JUDITH

Quand tu l'avais vue?

JACQUELINE

(*Impatiente.*) Ah mon dieu, la veille, j'pense. J'sais pas.

JOANNE

Tu l'sais certain, c'est la veille.

JUDITH

Ça t'fendrait-tu de l'dire?

JACQUELINE

Mais qué cé qu'tu veux savoir?

JUDITH

C'qui s'est passé. C'que tu y as dit. Comment a filait. Comment est partie.

JACQUELINE

Mais pourquoi? Je l'sais pas moi, c'que j'y ai dit. On a dû parler d'maman. On parlait toujours de maman. C'est elle qui était responsable de maman, oublie pas ça. C'est elle qui en avait la charge.

JOANNE

La pauvre!

JACQUELINE

(*Acerbe*.) Si c'tait trop pour elle, a l'avait rien qu'à l'dire.

JUDITH

C'tait trop pis tu l'savais ben. Ça s'rait trop pour n'importe qui!

JOANNE

A devrait déjà être à l'hôpital depuis six mois.

JACQUELINE

Ta gueule, toi! Vous ferez pas ça certain. J'vas la garder, moi, j'vas la surveiller, la soigner. J'vas la prendre chez nous si y faut. J'vas déménager ici si les enfants veulent pas l'avoir. Mais jamais a va aller à l'hôpital. Rentrez-vous ça dans tête, jamais!

JOANNE

Jacqueline, crisse, reviens-en! Tu l'sais qu'est condamnée. Tu l'sais qu'ça va régresser tout l'temps. Y a pas d'rémission dans c'te maladie-là, c'pas d'not' faute! Tu l'sais qu'y va falloir l'aider à respirer, à manger. A va perdre ses réflexes vitaux, j't'ai toute expliqué ça déjà. Pourquoi tu comprends pas?

JUDITH

Ça c't'un aut' problème. J'veux savoir comment Micheline est partie c'soir-là.

JACQUELINE

Oh écoute, t'es ridicule. J't'ai dit c'que j'savais, ça finit là. J'veux qu'on règle le probl...

JUDITH

Ben force-toi. C'tait quelle date?

JOANNE

Le dix octobre.

JACQUELINE

Comment ça s'fait qu'tu sais ça, toi?

JOANNE

J'peux même te dire le temps qu'y faisait: un orage épouvantable: d'la pluie, du vent, du tonnerre toute la nuit.
L'apocalypse ou ben pas loin. Y a un arbre dans cour qui
s'est fendu en deux c'te nuit-là.

JACQUELINE

(*Très surprise.*) C'est comme ça qu'tu t'en souviens?

JOANNE

Non, j'avais justement passé la nuit blanche.

JACQUELINE

Ah bon.

JOANNE

Je l'sais parce que l'lendemain, le 11 octobre, quand tu
m'as appelée tout énervée parce que Michou était pas rentrée, j'venais de m'endormir.

JACQUELINE

J'savais pas qu'tu faisais de l'insomnie.

JUDITH

Pourquoi t'as appelé si vite?

JACQUELINE

Ben oui mais maman était tu-seule! C'est elle qui devait la
garder. C'est tout c'qu'a l'avait à faire, pis a était même

pas capable de l'faire comme du monde. Fallait la surveiller tout l'temps. Pas surprenant qu'a soye pas capable de garder ses emplois.

JUDITH

Tu l'as assez écœurée avec son incompétence!

JACQUELINE

Qu'est-ce que t'en sais?

JUDITH

A m'écrivait ma sœur.

JACQUELINE

Ah oui, les lettres! Les fameuses lettres. Tes lettres de réconfort où tu passais ton temps à m'accuser de toutes les péchés du monde. Pis c'que tu disais d'maman... Penses-tu que c't'une façon d'réconforter quequ'un?

JUDITH

T'é-z-a lues?

JACQUELINE

Fallait ben! Pis c'tait pas d'gaîté d'cœur, laisse-moi te l'dire. Quand j'te dis qu'on a toute essayé pour y faire r'trouver la mémoire, vas-tu finir par me croire? On n'est pas là pour l'attaquer, on a essayé de l'aider.

JUDITH

T'avais pas besoin d'lire toutes mes lettres pour ça.

JACQUELINE

Ben j'les ai toutes lues. Toutes! Pas loin de deux cents lettres qui finissent toutes pareil: take care! T'étais pas là par exemple, tu pouvais ben parler. En tout cas, c'est moi qui y en a lu des bouttes, les plus «personnalisés». Mais ça y rappelait rien. Même les bouts où tu parlais contre moi.

ROGER

C'pas beau ça! Y a-tu queq'un qui prendrait une sandwich avant que j'les clanche?

JUDITH

(*Ne s'occupe pas de lui.*) Fa qu'est partie tu-seule un soir d'orage pis est allée s'faire renverser sur une route! Elle a laissé maman toute seule. Sans personne? Ça s'peut pas.

JOANNE

On dirait ben qu'oui.

JUDITH

Ça s'peut pas. A était ben qu'trop responsable pour ça. A prenait ça très au sérieux l'affaire de maman. A s'en faisait avec elle c't'épouvantable.

JACQUELINE

Écoute, on la payait pour qu'a s'en occupe.

JUDITH

Pis ça y pesait. C'tait effrayant les efforts qu'ça y demandait.

JACQUELINE

Mon dieu, je l'fais ben moi maintenant!

JUDITH

Toi, t'es t'une sainte pis une martyre, c'pas pareil. Elle, c'est jusse un être humain, un p'tit être humain à qui on d'mande trop parce que c'est la p'tite dernière, qu'a l'a pas d'job pis pas les moyens d'aller ailleurs.

JACQUELINE

A fait pas si pitié qu'ça. A l'a un métier. A l'a jusse à l'exercer pis à gagner sa vie. C'est son choix!

JUDITH

Maudit qu't'es plogue! L'chômage aussi c'est son choix peut-être? Pis la conjoncture économique, pis l'régime au Chili?

JOANNE

Wo! Les nerfs... Jacqueline, c'est-tu à onze heures le lendemain qu't'as vu qu'a était partie? C'est-tu jusse avant d'm'appeler?

JACQUELINE

(*Fâchée.*) Tu m'demandes ça à moi?

JUDITH

Non! À Roger!

ROGER

Quoi?

JUDITH

Laisse faire, toi. Oui, toi Jacqueline, l'aînée, on parle à toi là.

JACQUELINE

Ah je l'sais pus, c'est toute!

JUDITH

Coût don toi, c'est qu't'as à m'niaiser d'même? C'pas compliqué c'qu'on te d'mande. Quand est-ce que t'as vu que Micheline était pus là? Quand est-ce que t'as trouvé maman tu-seule?

JACQUELINE

(*Se lève, très fâchée.*) Pis à part de t'ça, chus pas obligée d'répondre à vos questions! Comme si j'avais faite queque chose, moi. Comme si c'tait d'ma faute. J'ai faite c'que j'ai pu pis c'est toute! J'fais toujours c'que j'peux. Pis si ça fait pas, ben faites-le donc vous aut' mêmes. Vous allez voir que c'pas facile. Vous allez voir que vous allez arrêter d'juger. Vous êtes là à m'questionner comme si j'avais faite queque chose de mal. C'est elle, pis c'est d'sa faute. Pis arrêtez de m'fatiquer avec ça. Est en haut, là, est en sécurité, ben c'est parfait d'même pis c'est toute!

Elle vient pour sortir.

JOANNE

Ben voyons, Jacqueline, prends pas ça d'même.

ROGER

Prends pas ça personnel, Jacqueline.

JACQUELINE

Lui là, si y s'farme pas a gueule je l'étrippe, c'pas mêlant!

ROGER

O.K., O.K., O.K. j'dis rien, moi! J'prends un p'tit scotch, pis c'est toute. (*Il se sert.*)

JUDITH

Pourquoi tu t'choques de même? J't'accuse pas, j'te demande de quoi.

JACQUELINE

J'aime pas l'ton qu'tu prends pour me parler.

JUDITH

On n'a jamais mis d'gants blancs m'semble.

JOANNE

Ça l'air que c'est l'temps d'commencer. Qué cé qu'y a d'si important qu'tu sais pas Judith? Dis-nous donc c'que tu cherches, on va p'tête t'aider à l'trouver.

JUDITH

Supposons qu'Micheline en avait plein l'casse, j'sais pas moi, que maman pour elle, c'tait trop. Qu'a était pus capable d'en prendre. Supposons que, comme j'la connais, a était pas capable de l'dire, pas capable de trouver ça correque de sa part de l'abandonner, supposons qu'a n'en pouvait pus, qu'a n'en pouvait pus pantoute... ça s'peut-tu qu'a soye amnésique parce qu'a *veut* pas s'en souvenir? Parce qu'est rien qu'pus capable d'être la fille de sa mère, pis d'avoir toute la maladie d'maman sus l'dos? Qu'a se souvienne pas parce que c'est sa seule manière de dire qu'a peut pus? Ça s'est-tu déjà vu, ça?

JACQUELINE

J'ai toujours dit qu'a simulait, qu'a faisait semblant d'pas s'souvenir parce qu'a voulait être déchargée d'maman. La même histoire que quand elle était petite, quand a faisait semblant de pas avoir de souvenir de son enfance!

JUDITH

Non, Jacqueline: j'ai pas dit simuler. J'ai dit amnésique. C'est pas sa volonté. C'est plus fort qu'elle. Imagine-toi pas qu'c'est confortable de pus savoir qui on est. Pis recommence pas avec son enfance!

JOANNE

Ça s'peut, j'pense. Faudrait s'informer.

JACQUELINE

C'est ben tordu pour rien. Si a pouvait pas, a l'avait rien qu'a l'dire. On aurait compris. On n'est pas des monstres.

JUDITH

Oui, j'te vois, oui. T'aurais compris certain. T'aurais compris qu'a était aussi nulle que t'as toujours pensé.

JACQUELINE

C'est faux!

JOANNE

Wo! Atendez un peu, là. Veux-tu dire que t'a soupçonnes de s'être faite écraser exprès?

JUDITH

Ben non... J'avais pas pensé ça. J'pensais... comme si a l'avait profité du choc...

JACQUELINE

Certainement pas! On part pas d'même un soir pour aller s'tirer devant une auto, parce qu'on veut pus soigner sa mère. Faut pas charrier. Au temps qu'y faisait, c'est normal qu'un automobiliste l'aye pas vue. La police dit même que l'conducteur a pu tellement rien voir qu'y a peut-être pensé qu'y avait accroché un arbre ou ben une branche tombée.

JUDITH

Bon, ça y est, tu t'en souviens.

ROGER

On s'en va-tu?

JUDITH

Prends sus toi, toi! Pis? Quand est-ce que tu l'as vue? Y s'tait-tu passé queque chose de spécial?

JACQUELINE

Franchement Judith, j'trouve qu'on a assez perdu d'temps avec ça. Y est temps d'parler d'maman un peu.

JOANNE

Demande à Jean-Paul! Y va s'en souvenir, lui!

JACQUELINE

Ça va faire! On n'appellera pas Jean-Paul à c't'heure-là certain.

JUDITH

(*Se lève.*) Jusse pour savoir c'est quand tu l'as vue.

JACQUELINE

Y en n'est pas question!

ROGER

Ben oui, appelle donc Jean-Paul. Plus on est d'fous...

JACQUELINE

Vous, là! (*Elle le prend, le lève, il est tout mou, tout surpris, elle le sort littéralement. On l'entend bougonner dans le vestibule.*) Envoye, sors, ça presse!

Elle revient dans le salon. Elle semble hors d'elle.

JACQUELINE

Bon! Tu veux savoir c'qui s'est passé? Tu vas l'savoir. Asteure qu'y a pus d'étranger ici, j'vas te l'dire. Quand chus arrivée ici, l'soir du 10 octobre, y pleuvait, c'est vrai. Chus venue pour rentrer par en arrière, par la porte d'en arrière comme d'habitude. Pis là, je l'ai vue. Chus restée là, en d'sous d'la pluie, dehors: j'en r'venais pas. Jamais d'ma vie j'avais vu queque chose d'aussi épouvantable. A fessait d'sus. Sus maman. Sur ma mère. Pas une tape, là, pas un geste d'impatience. A fessait. A la battait. À grands coups sur la tête, les épaules, partout. Maman était à terre, a l'essayait d'se protéger, pis a criait. Pis elle a fessait, a fessait, a cognait d'sus comme pour la tuer. A était pour la tuer. Chus sûre. Chus rentrée en hurlant dans cuisine, en hurlant, pis là j'l'ai pognée, j'l'ai tirée par les cheveux, pis moi avec j'ai cogné. De toutes mes forces. J'l'ai poussée contre le mur, pis j'ai cogné d'sus autant que j'pouvais. Pis j'ai ramassé maman, pis elle, j'l'ai laissée là. (*Temps.*) Ça m'a pris deux heures consoler maman. Deux heures à la bercer, la flatter, la peigner, y dire des mots doux. Deux heures. A était comme un chat. Comme un p'tit chat qu'on va chercher dans un arbre. Terrifiée. A claquait des dents, pis a me r'gardait avec ses yeux qui comprennent pas, son air de toute p'tite qui comprend pas pourquoi on la bat. J'l'ai remis sur la toilette comme a voulait. Chus restée sus l'palier toute la nuit. Au cas, au cas qu'elle aurait besoin. Pis c'est jusse à onze heures le lendemain que j'ai réalisé que Miche était pus là. C'tait aussi ben. Aussi ben pour elle. Pis c'tait aussi ben qu'a perde la mémoire. Je l'sais pas pourquoi a l'a faite ça. Peut-être à cause du dégât din toilettes, un dégât d'eau que maman avait faite. Mais on l'sait qu'a fait pas exprès, c'est pas pareil. Faut pas y en vouloir. C'pas pour mal faire. A l'savait ça, Miche. A l'avait pas d'affaire à la battre. Pis je r'grette pas c'que j'ai faite. Pis dis-toi ben un affaire Judith: si a l'a profité d'l'accident pour perdre la mémoire, c'tait p'tête plus pour pas avoir la honte d'avoir fessé sus maman que parce qu'a pouvait pas s'en occuper. Jamais j'oublierai ça. Jamais. J'sais vraiment pas c'qu'a l'a pensé. Mais c'est mieux pour elle d'avoir oublié. Parce que j'sais pas comment a pourrait s'pardonner ça.

Silence.

JOANNE

Mais c'est trop dur aussi, j'te l'avais dit. C'est trop dur s'occuper d'elle tu-seule. C'est exaspérant des fois.

JACQUELINE

Si est pas capable, qu'a l'fasse pas. J'l'ai pas suppliée. On peut s'arranger autrement. C'que j'y pardonne pas, c'est d'avoir attendu d'en arriver là. Qu'est-ce qui m'dit qu'a la battait pas avant?

JUDITH

As-tu pensé dans quel état a pouvait être pour faire ça? Comment a devait être à bout?

JACQUELINE

Non, j'ai pensé à maman. Maman peut pas l'dire, elle. Miche a pouvait. Miche avait toute sa tête. Pas maman. C'est maman qu'y faut protéger.

JUDITH

Non, rendu là, j'pense que c'est tout l'monde. Micheline peut pas rester ici.

JACQUELINE

C'est exactement c'que j'pense.

JUDITH

Pas pour protéger maman, chus sûre que tu l'fais très bien, pis de toute façon, Micheline y touchera pus. C'est quand elle était responsable d'elle que ça la dépassait, pus maintenant.

JACQUELINE

Peu importent les raisons, on est d'accord. J'ai fait préparer un papier ici. C'est pour ça qu'y fallait se réunir en conseil de famille. (*Elle s'agite, va chercher une enveloppe.*)

JUDITH

J'ai pas fini de dire c'que j'avais à dire: Micheline va venir av…

JOANNE

(*En même temps que Judith.*) Bon, c'est quoi ça encore? Tu m'as jamais parlé d'papier.

JACQUELINE

(*Revient.*) Bon, écoutez: on s'entend là-d'sus, Miche peut pas rester ici dans même maison qu'maman. D'abord, c'est un supplément d'travail inhumain, ensuite, c'est dangereux pour la santé d'maman. Ensuite, son état mental à elle est pas assez bon pour prendre le risque d'la laisser sans surveillance. (*Elle lit.*) «En conséquence, nous trois, seuls autres membres sains d'esprit de sa famille, la plaçons dans une clinique où elle recevra tous les soins et traitements nécessaires à sa guérison. Nous autorisons tous les traitements que les médecins traitants jugeront pertinents.» C'est l'docteur Tanguay, c'est quelqu'un d'très bien. Tu pourras l'rencontrer Judith si ça peut t'rassurer pour Miche. C'est ça, on a jusse à signer ici en bas toutes les trois.

Un énorme silence.

JACQUELINE

C'est l'docteur Tanguay qui a suggéré ça. Y dit qu'c'est mieux pour elle. Je l'crois aussi.

JUDITH

Y en est pas question. Micheline s'en vient à New York avec moi. J'ai son billet d'avion dans ma sacoche. Y a jamais été question que j'parte d'ici sans elle.

JOANNE

Vous pouvez pas faire ça ni une ni l'autre. On l'enfermera pas pis elle ira pas à New York non plus. A parle même pas anglais! Tu peux pas y faire ça. A l'a aucune chance de se r'trouver à New York.

JUDITH

Ah non? Ça serait mieux d'la bourrer d'pilules pis

d'électrochocs peut-être? De l'enfermer avec des fous alors qu'a l'a perdu la mémoire pour oublier qu'a vivait avec une folle?

JACQUELINE

Maman est pas folle.

JUDITH

Qué cé qu'ça t'prend, calvaire? Est assis din toilettes pis a dit son chapelet en flushant. Qué cé qu'ça t'prend? Pis tu trouves que Micheline est folle? A veut rien savoir d'la gang de craquées qu'y a icitte. Pis a l'a ben raison!

JACQUELINE

C'est une maladie! Une maladie. Est pas folle. C'est une pitié d'la voir sur les toilettes.

JOANNE

On n'est vraiment pas en état d'prendre des décisions d'même.

JUDITH

C'est décidé, j'pars avec elle.

JACQUELINE

Tant qu'à moi…

> Un bruit l'interrompt. Micheline sort de sa chambre et traverse la mezzanine. Elle porte une petite valise. Elle descend doucement, péniblement. Toutes les trois la regardent en silence. Une fois en bas, elle met la valise sur le divan, l'ouvre et demande.

MICHELINE

J'voudrais savoir si j'apporte jusse c'qui est à moi. J'voudrais être sûre que j'vole rien. Pouvez-vous vérifier si c'est mes affaires? Pouvez-vous m'dire si c'est à moi?

> *Une confusion totale s'installe. Tout le monde parle en même temps.*

JACQUELINE

Es-tu folle, toi? Est folle! Tu vas r'monter dans ta chambre, pis tu vas attendre qu'on t'appelle.

JUDITH

Micheline voyons, tu peux pas partir toute seule. Tu vas v'nir avec moi, on va partir ensemble, O.K.?

JOANNE

Ben non, Michou, t'es mêlée là. Y est une heure du matin, tu peux pas partir de même.

> *Micheline sort les vêtements de la valise, un par un, malgré les cris.*

MICHELINE

Ça? C'tu à moi? Ça, j'peux-tu l'prendre? Est-ce que c't'à vous, ça?

JUDITH

Attends un peu, Micheline, attends.

JACQUELINE

Où est-ce que tu penses que tu vas aller d'même?

MICHELINE

(*Se choque.*) Allez-vous m'répondre? Allez-vous m'dire si c't'à moi ces affaires-là?

JOANNE

Ben oui, ma belle, c't'à toi. Asteure tu peux aller t'crisser dans tempête pour aller t'faire renverser par un char pis r'trouver ta mémoire. Moi, j'abandonne. J'vous laisse régler ça, les filles.

JACQUELINE

(*L'empêche de partir.*) Une minute! Ça va faire, Joanne. On est trois à parler, on va parler toutes les trois. Oublie pas qu't'es médecin pis qu'ta voix compte.

JOANNE

Mon œil! Ça fait trois ans que j'te dis qu'y faut placer maman, pis ça a jamais compté.

> *Pendant que les deux s'engueulent, Judith essaie de parler avec Micheline.*

JUDITH

Micheline, écoute-moi. Chus ta sœur, Judith. Tu vas t'en venir avec moi. Je l'sais qu'tu veux t'en aller au plus vite, mais y fait tempête. Faut attendre un p'tit peu. On va partir ensemble, ça sera pas long.

JACQUELINE

C'pas maman l'problème, là, c'est elle. Si maman avait besoin d'être placée, je l'saurais. Le docteur est d'accord.

JOANNE

Crisse! Tu l'payes presque pour qu'y dise comme toi! Maman en n'a pas pour six mois comprends-tu ça?

MICHELINE

Judith? Vous vous appelez Judith? J'vous connais pas, pourquoi j'partirais avec vous?

JUDITH

On s'est parlé tantôt. C'tait pas un succès, mais en tout

cas. Pars pas d'même, là. T'as même pas d'argent. Faut d'l'argent pour vivre.

MICHELINE

J'vas travailler. Chus pas complètement débile. Pis j'ai un peu d'argent.

JACQUELINE

Si on la soigne bien, a peut faire un an. Peut-être plusse.

JOANNE

Jacqueline, maudit! Vas-tu arrêter d't'acharner sur elle? Qué cé qu'tu veux? Une maman en santé? C'est fini, t'en as pus d'maman. Laisse-la donc mourir en paix!

JACQUELINE

Tu sais même pas d'quoi tu parles! Tu l'as jamais aimée.

JOANNE

Bon, v'là les grands mots! Organise-toi donc avec, d'abord!

MICHELINE

(*Hurle.*) Voulez-vous arrêter d'crier!

Un silence brutal se fait.

JACQUELINE

Parle pour toi.

JOANNE

Bon. C'est parfait d'même. Moi, j'm'en vas.

Elle se dirige vers la sortie.

MICHELINE

(*Très doucement.*) Voulez-vous m'emmener avec vous?

JOANNE

Han? T'emmener où?

MICHELINE

M'emmener dehors. Jusqu'au terminus ou ben chez vous.

JUDITH

Tu vas venir avec moi, Micheline, comme quand t'étais p'tite pis qu'on partait ensemble. On va prendre l'avion ensemble demain. Tu vas voir.

Elle ramasse les choses de Micheline et les met dans la valise.

MICHELINE

(*L'arrête.*) Non! Touchez pas à mes affaires! J'vous connais pas, j'veux pas partir avec vous.

JUDITH

Mais elle non plus t'a connais pas!

JOANNE

De toute façon, j'peux pas t'emmener. J'm'en vas chez nous pis j'ai d'autres problèmes que toi à régler.

JUDITH

Tu vas venir avec moi, Micheline. J't'aime, tu vas voir, on va avoir du fun. C'est moi qui t'écrivais…

MICHELINE

Vous comprenez pas! J'veux pas! Lâchez mes affaires! J'veux pas partir avec vous. Ni avec elle. (*Elle montre Jacqueline.*) J'veux m'en aller toute seule. J'veux faire ma vie. J'veux avoir la paix. J'veux pas qu'on s'occupe de moi, de c'que j'pense, de c'que j'me souviens. J'veux même pas d'votre amour. J'veux la paix! Laissez-moi tranquille!

JACQUELINE

Bon, c'est correque Miche, énerve-toi pas d'même. On va trouver une aut' solution. Judith t'offrait gentiment d's'occuper d'toi...

MICHELINE

J'ai pas trois ans, j'en ai trente, vous l'avez dit. J'veux m'en aller, on étouffe ici.

JACQUELINE

Tu veux pas partir avec elle, mais tu y ressembles en maudit.

JUDITH

Laisse donc faire, Jacqueline.

JOANNE

J'peux pas t'emmener Michou. J'ai pas d'place pour toi.

JACQUELINE

Franchement! T'as une grande maison pis t'as même pas d'enfant!

JOANNE

Toi, mêle-toi d'tes maudites affaires! Y en a une grande maison, pis est icitte. On va mettre maman à l'hôpital, pis Michou va rester ici. Han Michou, si t'étais tu-seule ici?

MICHELINE

Pas ici, s'il vous plaît. Emmenez-moi, jusse pour dix jours.

JACQUELINE

Si tu dis encore une seule fois qu'on met maman à l'hôpi-tal, j'pense que j'te tue.

JOANNE

C'est elle qu'y faut tuer, pas moi! Tu devrais l'achever toi-même, comme une sorte de charité. Ça s'est déjà vu, tu sais.

JACQUELINE

T'es folle! T'es folle! Tais-toi donc, mais tais-toi donc! (*Elle saute sur Joanne et la frappe sauvagement en hurlant.*) Jamais! Ma maudite folle! Tu y toucheras pas! Tais-toi!

MICHELINE

(*Pendant l'attaque. Tout bas.*) Non... non... fais pas... fais pas... (*Elle regarde Jacqueline se battre, terrorisée.*) J'veux m'en aller... j'veux m'en aller...

JUDITH

Aye, ça va faire la crise de nerfs!

> *Judith tente de séparer les deux autres. Pendant ce temps, Micheline prend la fourrure de Judith qui traîne et, profitant du désordre, sort en courant, affolée. On entend la porte.*

JUDITH

(*Se précipite dans le hall, revient, affolée, hors d'elle.*) Micheline! Vite, quelqu'un! Un manteau! Est partie, a s'est sauvée. Un manteau! Vite! Joanne, vite! Aidez-moi!

> *Elle repart. On entend la porte de l'extérieur claquer. Jacqueline s'effondre en pleurant dans le sofa. Joanne court dans le hall. On entend la porte encore.*

JOANNE

(*Off.*) T'es même pas habillée! J'vas la trouver, moi. Reste là!

JUDITH

(*Off.*) A doit pas être loin.

JOANNE

Reste là j'te dis. J'y vas.

JUDITH

Trouve-la.

>   *On entend la porte qui claque. Judith revient au*
>   *salon. Elle va à la fenêtre.*

JUDITH

Pourvu qu'a soye pas loin. Pourvu qu'y y arrive rien…

>   *L'éclairage baisse doucement. On ne voit que la*
>   *tempête qui blanchit la fenêtre.*

ENTRACTE

Deuxième partie

Au retour de l'éclairage, Judith est seule en scène et fait les cent pas dans le salon. Souvent, elle s'arrête à la fenêtre. Elle est très nerveuse. Jacqueline sort des toilettes et descend. Elle est visiblement éreintée. Elle s'assoit dans le sofa après avoir mis la valise à terre. Elle regarde sa montre.

JACQUELINE
Veux-tu queque chose à manger?

JUDITH
Non. Merci.

JACQUELINE
Un café?

JUDITH
Non, non.

JACQUELINE
Ça commence à faire longtemps, là.

JUDITH
Penses-tu qu'on devrait appeler la police?

JACQUELINE
Non. On va attendre que Joanne appelle.

JUDITH

A était pas mal saoule…

JACQUELINE

A était pas la seule…

JUDITH

Je l'sais, Jacqueline, je l'sais.

JACQUELINE

Ah… je l'dis pas pour t'accuser.

JUDITH

Penses-tu?

JACQUELINE

Chus trop fatiquée pour me battre, Judith.

JUDITH

(*Arrête de marcher.*) Comment a va, maman?

> *Jacqueline reçoit cette question comme un baiser,
> une grande consolation. Elle se confie sans aucune
> défense.*

JACQUELINE

Mal. Est à peine capable de manger, d'avaler. Est tellement faible que les trois quarts du temps, j'la trouve couchée sur le tapis d'bain. Est maigre, maigre. Tout p'tite,
comme une enfant. Tu sais, a peut presque pus flusher,
même ça c'est un trop gros effort. Bientôt, va falloir la
mettre dans son lit, pis a pourra même pus trouver la force
de s'sauver aux toilettes. Ça fait longtemps qu'ses mains
peuvent pus serrer, prendre des affaires. Mais là, a
s'trompe de geste, a peut pus faire c'qu'a veut. Quand a
réussit à prendre queque chose, a l'met dans sa bouche pis

a l'suce, comme un p'tit bébé. N'importe quoi... un savon, son linge... a l'suce... (*Un temps.*) Je l'sais, Judith, que tu l'aimes pas. Je l'sais que t'es partie d'ici à cause d'elle, je l'sais que c'tait une femme volontaire, qui a pas toujours été juste, j'sais tout ça... mais moi, je l'aime. J'ai beau chercher, j'ai rien à y r'procher. C'est ma mère. Quand j'ai eu besoin d'elle, elle était là. Pis maintenant, quand j'la vois d'même, j'ai envie d'la protéger, d'la prendre dans mes bras, pis d'la protéger contre... contre la déchéance, l'humiliation. Maintenant tout c'que j'espère, c'est qu'a s'rende pus compte, qu'a sache pas comment est rendue. Au début, a l'savait, pis elle avait honte, tellement honte. Y a eu tout un temps où elle a arrêté d'manger pour pas risquer d'avoir des restants sus l'menton. Après, quand c'est moi qui la faisait manger, a m'accusait de mal le faire quand a voyait sa chemise. Pis moi, j'disais oui, j'disais que c'tait d'ma faute. Pis a m'en voulait parce qu'a savait... a savait que j'la protégeais. Pis ça y faisait encore plus honte. On aurait dit que j'tais jusse capable d'empirer les choses. J'disais jamais la bonne affaire, j'compliquais toute! A voulait pas m'voir. C'pour ça qu'c'est Miche qui s'en est occupée. Maman voulait jamais faire c'que j'y demandais. Miche... a pouvait y demander n'importe quoi, maman l'faisait. Y disent que ça arrive, que les malades choisissent quelqu'un d'même avec qui y sont sages pis d'autres avec qui y sont haïssables. Là... c'tait moi. C'est niaiseux, han, j'y aurais toute passé, moi, j'aurais faite tout c'qu'a voulait, pis a voulait pas d'moi. Jusse Miche. Y avait jusse Miche pour elle. Comme si j'avais pus été sa fille. Ça m'a faite... ah... c'est trop compliqué à expliquer. Mais... j'aimerais ça qu'a me r'connaisse avant d'mourir. J'aimerais ça qu'a dise mon nom. Même par erreur à quelqu'un d'autre. Ça fait longtemps qu'a l'a oublié mon nom... Ah, je l'sais pus, c'est niaiseux, a pus sa tête, je l'sais ben, mais c'est ma mère. Même diminuée, même comme ça, c'est ma mère. Pis j'veux pas qu'a meure. J'peux pas imaginer qu'a meure. J'sais pas c'que j'vas faire si est pus là, si a m'laisse toute seule. J'voudrais qu'a toffe encore un peu. Jusse encore un peu. Le temps que j'm'y fasse.

JUDITH

On s'y fait pas, Jacqueline. Tant qu'a sera pas morte, tu t'y feras pas.

JACQUELINE

Ça fait rien. J'veux pas pareil.

JUDITH

Ben oui, mais tu peux pas décider. Pas c'coup-là.

JACQUELINE

C'est facile à dire pour toi. C'pas pareil. Tu l'aimes pas, toi.

JUDITH

Quand est-ce que tu vas apprendre que toute se mesure pas à l'amour qu'on a ou ben qu'on n'a pas? Quand est-ce que tu vas apprendre ça, Jacqueline?

JACQUELINE

J'comprends pas c'que tu veux dire.

JUDITH

Ah oui, tu comprends. Pour toi, y a les bons pis les méchants. Y a des réponses, des bonnes pis des mauvaises. Pourquoi la maladie d'maman t'apprend rien? Tu vois pas que des fois y a pas d'réponse pis qu'l'amour, c'pas assez? C'pas toute.

JACQUELINE

Y en a qui en ont moins besoin que d'autres.

JUDITH

Y en a qui l'font moins voir. Y en a qui s'promènent pas comme des quêteux, la main en avant, à supplier pour un morceau d'amour. Ah... pis ça sert à rien d'parler.

JACQUELINE

T'as jamais eu besoin de rien, toi, Judith. Tu peux pas savoir c'est quoi. T'es partie à vingt-cinq ans, tu t'es mariée en Europe avec on sait pas qui, pis deux mois après, on sait pas pourquoi, c'tait fini avec c'te gars-là. T'es r'partie. T'as faite ton affaire tu-seule. T'es jamais r'venue. Même quand t'as décidé d'vivre à New York, t'as pas eu l'cœur de venir faire un tour. Même pour la maladie d'maman, t'es pas venue. Même celle de Miche. Tu sais pas c'est quoi aimer quelqu'un, s'attacher, tu sais pas c'est quoi en avoir besoin. Tu t'es jamais inquiétée d'savoir c'que ça avait pu faire à maman que tu partes de même. T'as jamais soupçonné la peine que ça y a faite. Asteure, j'peux ben te l'dire, maman a l'appelle tout l'monde pareil, a les appelle toute Judith. Te rends-tu compte de c'que ça veut dire?

JUDITH

Ça m'intéresse pas. Maman m'intéresse pas. Toi, t'es pas capable de penser qu'a va mourir, ben pour moi, est morte. Est morte depuis un maudit bout d'temps.

JACQUELINE

Mais pourquoi? Pourquoi tu y en veux tant?

JUDITH

Tu comprends pas. J'y en veux pas: est morte. Finie, disparue, pus là. Est pus dans ma vie, dans ma tête, dans mes souvenirs presque. J'me sus payé une p'tite amnésie, moi avec.

JACQUELINE

Qué cé qu'a t'a faite? Pourquoi? Dis-moi-le.

JUDITH

Quand même j'trouverais la pire affaire, le pire événement imaginable, le pire abus possible, ça sera jamais assez pour toi, Jacqueline. Tu vas toujours trouver l'moyen d'm'expliquer pourquoi, elle, elle a fait ça. Pis pour être ben franche, ça m'intéresse pas d'savoir c't'à qui la faute. Y a rien qu'une affaire qui m'intéresse Jacqueline, c'est vivre. Vivre le mieux possible, le plus fort possible, sans perdre mon temps à réparer c'qui est pas réparable. J'ai fini d'mette d'la peinture sus des vieux chars bossés qui avancent pus. La seule façon d'vivre, c'est d'laisser les morts avec les morts.

JACQUELINE

Peut-être. Mais maman est pas encore morte.

JUDITH

Pas pour toi, non. Pis ça ben l'air d'être ton problème.

JACQUELINE

Fais-toi-z-en pas, chus capable d'les régler toute seule. (*Un temps.*) Tu m'méprises, han?

JUDITH

(*Va à la fenêtre.*) On jouera pas à ça, Jacqueline. Pas à soir.

JACQUELINE

Penses-tu qu'je l'sais pas? Quand tu dis que toi, c'que tu fais, c'est vivre, penses-tu qu'je l'sais pas c'que tu penses de moi, de mon mari, de ma famille? Tu m'as toujours un peu méprisée. Tu m'as toujours trouvée trop conventionnelle à ton goût. Je l'sais ben. Toi, tu fais la fille qui choisit d'vivre, qui s'paye des aventures, qui connaît l'danger. Y a des dangers à élever des enfants aussi.

JUDITH

Qué cé qu'tu veux, là? Que j'te dise que t'es parfaite? Que tout est parfait? Que t'as faite c'que t'avais à faire? Que l'échec, c'est moi?

JACQUELINE

J'te laisserai pas juger d'ma vie, certain!

JUDITH

Arrête donc de t'sentir coupable! Si t'es ben d'même, vis d'même, pis c'est toute. Demande rien à personne. Mais enferme pas ma sœur parce qu'a fitte pas dans ton décor.

JACQUELINE

C'est ça qu'tu prends pas, han?

JUDITH

J'te l'ai pas caché.

JACQUELINE

Mais a veut pas plusse s'en aller avec toi, tu l'as ben vu!

JUDITH

Oui, j'l'ai vu Jacqueline, tu peux être contente: Micheline m'a clairement montré qu'a voulait rien savoir de moi.

JACQUELINE

Si au moins ça pouvait t'servir à comprendre c'que maman a pu ressentir quand t'es partie sans vouloir y parler.

JUDITH

Toi, en tu cas, y a des affaires que t'as pas l'air de vouloir comprendre. Lâche, O.K.?

JACQUELINE

Si t'es partie d'New York avec un billet d'avion pour ta sœur que t'as pas vue depuis des années, me semble que ça veut dire que tu dois l'aimer. T'es pas venue la voir mais tu

y as écrit. Tu dois ben être capable d'aimer si tu l'as marqué dans tes lettres? Non?

JUDITH

Fais attention, Jacqueline, j'trouve que t'exagères.

JACQUELINE

J'te d'mande pas grand-chose. J'te d'mande de monter en
haut, d'la prendre dans tes bras, d'y dire que t'es là, que
t'es venue la voir. J'te d'mande pas d'm'aimer, j'te
d'mande d'y donner ça à elle. Avant qu'a meure.

JUDITH

T'es complètement folle!

JACQUELINE

Qué cé qu'y a d'fou à aller embrasser sa mère avant qu'a
meure? Qué cé qu'y a d'fou à te d'mander d'faire ça, pour
l'amour? A va mourir, Judith. Tu pourrais peut-être y pardonner. Un peu d'indulgence, pas pour moi, pour elle. Ça
s'peut-tu qu'tu pardonnes une fois dans ta vie? Jusse une
fois?

JUDITH

Mais qu'est-ce que t'en sais? Han? Qu'est-ce que t'en sais?
De quoi tu parles du haut d'ton importance, du haut d'ta
bonne conscience? Qu'est-ce que tu sais d'ma vie? L'indulgence! Fuck! Tu peux ben parler d'indulgence, toi. Ça
t'va bien, d'abord. Pas capable de comprendre qu'on
puisse être à bout, pis fesser sus quequ'un. Pas capable de
voir d'aut'chose que son point de vue, ses désirs, sa
volonté. Pis tu dis qu'ça serait pour elle? T'as ben menti.
A l'a loin mon pardon, la mère, c'est toi qui en as besoin.
C'est toi qui as besoin que le p'tit roman s'passe comme
t'as décidé. Pis si on marche pas dans tes plans, ben à l'hôpital, va t'faire soigner! C'pas grave d'envoyer Micheline

chez les fous pour queque temps, mais ça serait criminel de mette maman là. J'suppose que c'est logique, ça? Qu'y a une bonne explication pour toute ça dans ta tête? Viens pas m'faire chier avec ton pardon-pour-une-fois-dans-ma-vie!

JACQUELINE

Mais tu m'en veux ben! Qu'est-ce que j't'ai faite?

JUDITH

Crisse, réveille! C'pas parce que tu fais une vie plate dans ton bungalow d'banlieue que t'as pas d'pouvoir. C'pas parce que t'as choisi d'faire c'que maman avait décidé pour toi qu'ça t'enlève toute responsabilité. Te rends-tu compte que toi, t'as fessé sus ta sœur comme elle a fessé sur sa mère, pis que c't'aussi sans cœur pour moi que ça l'était pour toi? Te rends-tu compte que tu d'mandes à tout l'monde de faire comme toi tu penses, comme toi tu décides, sans t'soucier d'leur avis? T'es comme maman, comme elle! Comment t'as pu penser que j'signerais un papier pareil, ça m'dépasse! Faut qu'tu soyes way out en hostie!

JACQUELINE

Tu l'as pas signé non plus. J't'ai pas obligée!

JUDITH

Tu peux pas m'obliger! Chus libre, moi. Libre! Même si tu comprendras jamais c'que ça veut dire, j'vas te l'expliquer pareil. J'ai choisi d'arrêter d'souffrir en essayant d'fournir à un abîme qui a pas d'fond. Ça veut pas dire que j'souffre pus, ça veut dire que j'peux souffrir moins. Ça veut pas dire que chus pas capable d'aimer, ça veut dire que j'cours pus après les amours impossibles. Ça manque de dignité? J'm'en crisse! L'amour souffrant pis torturant, ça a un p'tit côté dégradant aussi. J'appellerai jamais mes enfants Julie pis Jean, parce que j'en aurai jamais. Pis c'est pas parce que j'ai pas d'cœur ou pas d'homme pour m'en faire. J'en ai un enfant, rien qu'un, pis c'est Micheline. C'est d'même. J'l'ai adoptée l'jour où c'est moi qui y a choisi un nom, parce que not' mère avait pus d'inspiration. Je l'aime pis j'veux pas qu'a souffre. Pis si c'est moi qu'a trouve souffrante, ben j'vas m'tasser. Pis a saura pas l'prix qu'ça m'coûte. Parce que j'veux pas qu'a pense qu'a m'doit queque chose parce que je l'aime. C'est ça être libre. Arrêter d'faire payer les autres parce qu'on leur fait l'honneur de les aimer.

JACQUELINE

Ah toi, y a pas d'soin: toi, tu sais c'qu'y faut faire, pis comment l'faire.

JUDITH

Y a des affaires que j'ai payé pour les savoir. Pis payé cher. Ça m'donne le droit de t'dire ceci: t'es libre de rien apprendre dans vie, pis d'avoir l'air de toute savoir, t'as l'droit d'souffrir beaucoup si t'aimes ça d'même. J'pense qu'y a pas moyen d'pas souffrir. Mais y a moyen d'dealer un peu. On fait c'qu'on peut, on s'met à l'abri comme on peut, mais t'es mieux d'compter rien qu'sus toi. D'mande-moi pas de t'protéger d'la déception d'ta mère. D'mande pas à Jean-Paul de t'protéger d'tes enfants, ni à tes enfants de corriger c'que la vie t'a pas donné. C'pas jusse la vie. C'pas supposé balancer à cenne à fin. On arrive tout l'temps short dans vie. Fa qu'essaye pas d'faire balancer celle de maman en m'faisant jouer la scène du pardon. C'est jusse *ta* vie qu't'essayes d'arranger là-d'dans. Pis moi, j'joue pas à ça. It's not my cup of tea.

JACQUELINE

Tu t'es toujours sacré d'moi.

JUDITH

Non. Pas toujours. Seulement quand j'ai compris qu'ta mère était ton idole, pis qu't'étais prête à burner ben du monde pour elle.

JACQUELINE

T'exagères.

JUDITH

Tu trouves que je l'aime pas assez? J'trouve que tu l'aimes trop! Ça devrait balancer c'coup-là. On va laisser ça d'même.

JACQUELINE

Pourquoi tu m'haïs? Jusse parce que je l'aime?

JUDITH

Non. Parce que tu veux pas qu'j'existe comme j'existe. J'peux pas aimer quequ'un qui veut pas que j'soye c'que j'suis.

JACQUELINE

T'es en train de m'dire que chus comme maman.

JUDITH

Avec moi, oui. Peut-être pas avec tes enfants. J'espère que non pour eux autres.

JACQUELINE

J'empêche personne de vivre. Ça serait plutôt eux autres...

JUDITH

Vois-tu Jacqueline, c'est ça qu'j'aime pas: t'aimes mieux être victime que vivante. T'aimes mieux qu'ça soye la faute des autres, pis être la pauvre qui paye.

JACQUELINE

On choisit pas toujours.

JUDITH

Encore une belle phrase de victime!

JACQUELINE

Qué cé qu'tu voudrais que j'dise?

JUDITH

C'que tu penses: c'est moins pire pas prendre de risque pis dire que c'est la faute des autres. C't'un choix, ça. Si tu disais c'que tu penses, tu finirais par te rendre compte que t'es ben contente que tes enfants pis ton mari soyent injustes avec toi, t'exploitent pis abusent. Parce que ça t'permet de compter les tours, de t'mette du bord de «l'injustement traitée», de celle qui en endure, de celle qui en a gros à pardonner. L'bord du bon Dieu! Tu parles d'un beau pouvoir, tu parles d'une belle vie: tu peux faire filer tout l'monde coupable parce que t'as un arsenal de fautes à leur mettre sus l'nez en cas de révolte. Ça c't'une vie! Une vie édifiée sur la culpabilité! Une belle vie d'catholique. C'est même rendu qu'tu t'fais marcher toi-même. En tu cas, moi, tu m'auras pas. J'te laisserai pas m'faire un bill. J'te dois...

On entend du bruit, quelqu'un qui rentre.

JUDITH

Joanne? Micheline? (*Elle va à la porte côté cour.*)

Jacqueline est debout.

JACQUELINE

Pis? L'as-tu trouvée? Est-tu correque?

JOANNE

(*Entre seule.*) Tu parles d'un temps! Non, j'ai pas réussi à la trouver. (*Elle s'assoit.*) Chus morte! J'prendrais un cognac, moi. Chus gelée à l'os.

JUDITH

On va appeler la police. Ça a pas d'bon sens la laisser dehors de même.

JOANNE

C'est faite! Chus allée! Y commencent à m'connaître. Quand c'pas maman qui part prendre une marche à l'aventure, c'est la sœur amnésique. On passe pour une belle gang!

JUDITH

(*Lui donne un verre.*) On *est* une belle gang!

JACQUELINE

Où c'est qu'elle a ben pu aller?

JUDITH

Pas loin, certain, avec le temps qu'y fait. J'espère qu'a gèlera pas sus un banc d'neige.

JOANNE

Au moins, est partie avec ta fourrure.

JACQUELINE

(*À la fenêtre.*) Quand est-ce que ça va arrêter c'temps-là?

JOANNE

Ça devrait s'calmer, là.

JUDITH

J'devrais p'tête continuer à chercher?

JOANNE

On voit rien, dehors. Y a d'la poudrerie c't'épouvantable. J'ai pas eu d'téléphone?

JACQUELINE

Y est quatre heures du matin! Qui cé qu'tu veux qui appelle?

JUDITH

Oui, j'vas y aller! Y a-tu quequ'un qui a un manteau pour moi?

JACQUELINE

Tu peux prendre le mien, mais y est pas ben chaud.

JOANNE

L'mien est mouillé.

JUDITH

J'irai pas loin. Jusse encore un coup d'œil dans les alentours. (*Elle sort.*)

JOANNE

Tu trouveras rien! A va revenir d'elle-même.

JACQUELINE

A sait même pas où a reste.

JOANNE

Ça va p'tête y donner l'bon choc.

JACQUELINE

Ça m'étonnerait.

JOANNE

Ben voyons: une bonne nouvelle de temps en temps, ça arrive din pires familles!

JACQUELINE

Qu'est-ce que tu veux dire encore?

JOANNE

Rien. J'trouve qu'on a l'tour des party d'famille qui swingnent. Une sorte de prédisposition au plaisir...

JACQUELINE

Ah ben, j't'en prie! J'ai déjà subi un procès à soir, j'vas m'passer du tien, si ça t'fait rien. J'monte à maman. Tu viendras m'chercher si y a du nouveau.

JOANNE

(*Lève son verre sans regarder Jacqueline monter.*) C'est ça. Monte donc à maman! J'vas m'organiser tu-seule. Chus t'habituée d'abord. (*Elle boit.*) Buvez-vous seule? Oh... oui, des fois, des tites fois. Quand mon mari est pas là. Quand y travaille pas, pis qu'y est pas là. Quand chus pus là tellement qu'y est pas là... Des fois d'même, ça peut m'arriver...

Un buveur solitaire... un verre solitaire. (*Elle rit, se lève, va chercher la bouteille.*) Un p'tit verre solitaire. Ça date de mon mariage, le sacrement d'solitude qui mène au verre solitaire! À ta santé, ma pitoune! (*Elle va au miroir.*) À ta santé, Hervé! C'pas d'ta faute, mon pit. Tu l'as très bien dit: aujourd'hui, c'est toi, demain, ça sera pour d'autre chose. Ça sera toujours à cause de queque chose: le verre solitaire, ça pardonne pas. Ça tue... lentement, mais j'garde espoir: on n'est pas pressé. (*Elle s'assoit.*) Où c'est qu'est allée, elle? Ah oui... sa maman... sa maman qui meurt en criant maman. Les mamans meurent toutes. Les filles avec. Cé qui reste? Hervé! Le champion baiseur! T'as pas appelé, mon cochon? T'es pas rentré, han? Tu fais des folies avec ta p'tite câlice de chais pus qui? Tu pourras jamais m'dire qu'a baise aussi ben qu'moi. Jamais! Parce que nos deux, mon cher Hervé, c'tait un moyen championnat. Nos deux ensemble, c'tait l'party du siècle... (*Un long temps. Elle fixe devant elle.*) J'suppose que ça

sert à rien de t'promette d'arrêter d'boire?... Mange d'la
marde, Hervé!

*Elle lève son verre et boit. Les lumières s'éteignent
d'un coup. La panne.*

JOANNE
Câlice! Quand tu dis un party fucké...

On entend la porte des toilettes s'ouvrir.

VOIX DE JACQUELINE
Joanne? Joanne es-tu là?

JOANNE
Non. Y a pas d'lumière, chus pus là. Tu vois ben!

JACQUELINE
C't'une panne.

JOANNE
Ah ouain? C'pas maman qui a joué din fuses?

JACQUELINE
Joanne franchement! J'peux pas descendre là.

JOANNE
J'bougerai pas, aie pas peur. J'me casserai rien.

JACQUELINE
Veux-tu prendre les chandelles dans l'buffet pis v'nir
m'éclairer un peu?

JOANNE
Ça va prendre plusse que des chandelles pour t'éclairer.

JACQUELINE

Veux-tu l'faire? J'attends, là.

JOANNE

Ben oui, j'veux! J'ai-tu l'choix d'abord?

Elle se déplace dans le noir.

JACQUELINE

Espérons qu'ça durera pas trop longtemps. On peut dire qu'on aura toute eu à soir.

JOANNE

On est prédisposées, j'te dis. Ayoye!

JACQUELINE

Qu'est-ce que c'est?

JOANNE

Je l'sais pas, y fait noir.

On entend du bruit.

JACQUELINE

Les as-tu, là?

JOANNE

T'es ben fatiquante! Prends sus toi! J'ai les chandelles, mais avec ta maudite manie d'cacher les allumettes...

JACQUELINE

C't'à cause de maman, c'est dangereux pour le...

JOANNE

Je l'sais: tout est dangereux avec maman.

JACQUELINE

R'garde en d'sous des nappes dans l'buffet. J'en ai caché
là.

Joanne rit.

JACQUELINE

Les as-tu?

JOANNE

Quand j'vas les avoir, tu vas voir.

JACQUELINE

Veux-tu que j'descende?

JOANNE

Si ça t'tente de t'casser a gueule... (*Elle allume une allu-
mette.*)

JACQUELINE

(*Ridicule à essayer de trouver la première marche.*) Bon!
T'aurais pu l'dire!

JOANNE

(*Allume les bougies.*) J'suppose que t'en veux? (*Elle
monte deux bougies.*) Fais ben attention à maman, là.
Laisse-la pas toucher à ça, c'est caca!

JACQUELINE

Franchement! Est couchée dans son lit. J'ai réussi à l'ame-
ner dans sa chambre. J'vas rester près d'elle.

JOANNE

C'est ça. Fais don ça.

JACQUELINE

Y a pas d'neuf?

JOANNE

Ben, y a une panne d'électricité...

JACQUELINE

Eh qu'j'haïs ça quand tu parles de même! Arrête de boire,
là.

JOANNE

Va t'occuper d'l'autre pis laisse-moi tranquille.

> *Jacqueline rentre dans la chambre de la mère.
> Joanne allume un énorme chandelier sur le piano,
> puis un autre chandelier près du sofa. Elle se rassoit
> avec son ballon de cognac. La lumière doit être très
> douce, très belle.*

JOANNE

Asteure, la veillée au mort qui commence... On se r'fuse
rien, y a pas à dire.

> *Elle fait jouer la lumière du chandelier à travers son
> verre. On entend un bruit, puis, venant de la porte
> de la cuisine, Micheline qui entre avec la fourrure
> de Judith. Elle va au piano, sans que Joanne ne la
> voie. Elle l'ouvre et fait une note, juste une. Joanne
> se redresse, regarde. Micheline est presque de dos
> pour elle.*

JOANNE

Judith?

> *Micheline se retourne doucement.*

JOANNE

Prendrais-tu un cognac, Michou?

Elle ne bouge pas, elle regarde Micheline et attend
un geste d'elle. On entend, en sourdine, diffus, le
deuxième mouvement du concerto Empereur *de*
Beethoven.

MICHELINE

(*Très doucement.*) Mon père... mon père était pianiste.
Pas un grand, j'pense. Un p'tit pianiste qui rêvait d'être
un grand pianiste. Un p'tit pianiste qui donnait des cours
de piano à des femmes désœuvrées qui cherchaient l'aventure dans la musique. Dans la musique pis dans l'professeur de piano. As-tu suivi des cours de piano, toi?

JOANNE

Non, pas moi.

MICHELINE

Au début, ma mère m'emmenait. J'tais bébé. J'étais très
p'tite. Pis après, c'était Judith. J'me souviens très bien du
jour où maman a décidé que l'piano pour elle, c'tait fini.
Pourtant, j'avais seulement quatre ans... A m'avait
envoyée jouer dehors, en arrière, dans la petite cour. Pis,
c'te jour-là, c'pas une sonate que j'ai entendue. J'écoutais,
ben sûr. J'tais jusse à côté d'la salle de piano. J'ai toujours
écouté. Toujours. Maman disait qu'son mari était malade,
très malade, qu'y fallait qu'elle le soigne et qu'en conséquence (c'est c'qu'a l'a dit, j'm'en souviens!) «en conséquence» elle devrait cesser le piano. Maman était très
ferme. Lui, le professeur, je l'entendais pas. J'me sus
approchée d'la fenêtre: maman était tellement belle,
debout, avec ses gants, son chapeau à voilette, son rouge à
lèvres. Elle a enlevé ses gants, levé la voilette, ses yeux bril-
laient. J'pense qu'a l'appréciait beaucoup la scène qu'a
était en train d'jouer. Lui, y pleurait. Elle répétait en lui
tapotant l'dos: «T'es trop sensible, Lucien, t'es trop sensi-

ble.» Y a dit toutes sortes d'affaires, j'ai pas toute compris. Pis tout à coup, maman s'est tannée, a trouvait pus ça drôle, ni touchant. A l'a mis ses gants, s'est rajustée pis a l'a parlé d'partir. Là, Lucien, l'professeur, mon père, a dit qu'y voulait m'voir, qu'y avait l'droit, que j'tais sa fille, que jamais y supporterait d'être éloigné d'moi. Je l'avais toujours su j'pense, même si y avait jamais été particulière-ment gentil avec moi. Et pis là, maman, je l'sais pas pour-quoi elle a dit ça, probablement pour qu'y arrête, parce qu'y était trop collant, elle a dit: c'est correque, est jusse là dans l'jardin. J'la laisse là, va la voir. C'est ta fille, profites-en. Essaye d'y montrer à jouer à elle. J'l'ai vue partir. J'étais terrifiée. J'ai voulu crier, mais c'tait comme dans les cauchemars, quand rien sort. Est partie. Quand y est arrivé dehors, j'pleurais comme une folle, j'voulais ma mère, j'avais tellement peur de pus jamais r'venir chez nous. Y m'a amenée dans maison, dans ses bras, j'criais, je hurlais, je l'tapais. Y m'a assis dans salle de musique pis sans s'oc-cuper d'moi, y s'est mis à jouer comme un dément. Y a joué, joué, joué. On aurait dit un grand pianiste. J'ai été obligée d'arrêter d'pleurer, de l'écouter. Y jouait telle-ment bien, tellement fort. Pis, j'sais pas quand, vers la fin en tout cas, y a joué un mouvement doux, triste pour mou-rir, pis y pleurait en jouant. Y pleurait pis y jouait douce-ment, comme pour faire pleurer l'piano. J'me sus levée, j'ai été proche de lui. J'tais jusse grande comme le clavier, j'me souviens, j'avais ses mains jusse devant mes yeux. J'ai mis ma main dessus, pour les arrêter, parce que c'était trop triste. Ses belles mains ont arrêté, j'entendais pus rien qu'ses larmes pis son souffle qui pleurait. Pis y a placé ma main, jusse une, comme y fallait sus l'piano pour faire un accord, un accord triste. C'est là que Judith est arrivée. Elle a dit: maman m'a dit de v'nir chercher Micheline, que sa leçon était finie pour aujourd'hui. J'me souviens qu'y a rien dit. Y a jusse serré ma main fort, fort, pis y l'a laissée.

Y a répété: maman a dit que c'tait fini pour aujourd'hui. Pis y s'est r'mis à jouer. Comme si j'tais pas là. Judith est venue m'prendre par la main, on est parties. J'ai entendu l'piano longtemps sus l'trottoir. Jusqu'à chez madame Bolduc. Arrivée chez nous, maman m'a même pas r'gardée. A faisait à souper. J'me sus jetée d'sus pour la serrer, y montrer que j'tais contente qu'a me r'prenne. Elle, a s'est tassée, ça la tannait. Mais ça l'avait toujours tannée, c'tait pas nouveau. La semaine d'après, Judith m'a amenée à mon cours de piano. Mais lui, y jouait pus. Y voulait que j'fasse mes gammes, mes exercices. Y était fâché. Y pleurait pus. Chez nous, maman voulait pas que j'pratique à cause d'la maladie d'papa. Mais, dans l'fond, c'est parce que ça l'énervait: a voulait pus entendre de piano. C'tait fini l'piano pour elle. Pis lui, l'professeur, y m'parlait jamais sauf pour dire: encore, c'pas ça! C'pas bon, r'commence! Pis Judith venait m'chercher. J'pensais toujours qu'y allait m'parler, me dire qu'y était mon père. Ou ben jouer, comme le jour où ma mère m'avait laissée là. Mais non. Y m'voyait pas. C'tait jusse pour r'tenir maman qu'y avait dit ça. C'tait pas moi. C'tait pas pour moi. Pis maman, elle, on aurait dit qu'je l'énervais de plus en plus, qu'a l'aurait voulu m'fermer comme le piano. (*Un temps.*)

JOANNE

Maman a jamais été ben patiente...

MICHELINE

Non, c'est vrai... (*Un temps.*) Quand est tombée malade, je l'sais pas c'qui m'a pris, j'ai pensé qu'a s'mettait à m'aimer. C'est fou, mais elle qui avait jamais rien voulu savoir de moi, a m'écoutait, a faisait c'que j'voulais, a m'obéissait. Jacqueline pouvait rien faire avec elle; moi, c'tait magique: j'arrivais, pis a m'écoutait. Pis tranquillement, c'est devenu fou: a parlait d'Lucien, a m'contait toute l'histoire avec Lucien, pis a s'trompait, a savait pus qu'j'étais sa fille. Tout à coup, j'me sus rendu compte que c'tait pas vrai, qu'a m'aimait pas plusse, qu'a savait pas qui j'étais. A racontait l'histoire du pianiste à quelqu'un d'autre. Pis a m'parlait d'moi, du poids que j'pesais, le poids d'la faute, qu'a disait. Pis a s'est mis à m'parler comme si j'tais Judith. Comme si j'y en voulais. Pis après, a s'est mis à rire de Lucien, à l'ridiculiser, à expliquer comment c'tait un minable, pis un amant ordinaire. Tout ce que j'avais oublié, toute mon enfance m'est revenue à mesure qu'à m'parlait de lui. Le jour... le jour où j'ai sauté d'sus, a l'avait arraché toutes les lames d'ivoire sur les notes du piano. Est venue m'voir avec les notes dans ses mains toutes croches, pis a m'disait avec des yeux fous: «J'ai ben failli avorter! Penses-tu que j'l'ai eue? Penses-tu qu'a l'a passé?»

Chus venue comme folle, j'me sus vue dans ses mains tordues, comme un tit bout d'ivoire cassé, pis j'l'ai tellement haïe de pas savoir que c't'à moi qu'a disait ça, à *moi*, moi, l'avorton, le restant, la moins que rien. J'voulais la tuer! J'ai sauté d'sus, pis j'ai fessé. J'l'aurais tuée certain si Jacqueline était pas arrivée. J'l'aurais tuée.

Un temps. Elle touche au piano, fait un accord très triste.

J'ai jamais bien joué. Jamais. L'pianiste est parti quand j'avais huit ans. J'y allais tu-seule à c't'époque-là. Judith venait jusse me chercher après. Chus arrivée. Y avait pus d'piano. Y m'a dit: «Va falloir te trouver un autre professeur, ma grande. J'déménage. Tu diras à ta mère qu'y va falloir qu'a trouve un autre professeur.» Chus partie, parce qu'y avait l'air d'attendre ça. Chus restée en d'sous d'la galerie, à attendre Judith. Pis j'pleurais. J'pleurais en

m'disant: pis un aut'père? Va-tu falloir que j'me trouve
un aut' père? Mais j'savais ben qu'on trouve pas d'père.
Ça s'trouve pas, ça. Au moins, j'savais ça, pis j'ai pas cher-
ché. J'ai oublié, c'est tout.

> *Elle ferme le piano.*

J'tais pas loin tantôt. J'tais en d'sous d'la galerie en avant.
J'ai gardé l'habitude des d'sous d'galerie. C'est plus fort
que moi, ça m'rassure. Les cours, les jardins, chus pas
capable, les d'sous d'galerie, oui. On trouve la place qu'on
peut, han? J'vas m'louer un appartement dans un pen-
thouse où y a pas d'galerie. J'vas m'en aller... Loin. Dans
une place où y a pas d'galerie. Ni d'piano.

> *Un temps.*

C'te jour-là, en d'sous d'la galerie, j'aurais voulu savoir
jouer du piano comme lui. Pour jouer fort pis enterrer
toute ça. Toute le bruit qu'ça faisait dans ma tête. Mais y
avait jusse la terre que j'pouvais prendre dans mes mains.
La terre...

> *Elle s'approche du divan, prend sa valise, retire le
> manteau, le met sur Joanne.*

J'vas mette le mien. Y est moins beau, mais c'est l'mien.
Tu y diras merci pour l'offre... pour New York. A toujours
essayé d'me protéger, mais a pouvait rien faire. C'tait pas
elle... c'tait pas d'sa faute à elle. Dis-y merci... Merci pis...
take care. (*Elle caresse l'épaule de Joanne.*) Take care toi
avec, Joanne.

JOANNE
Penses-tu être bonne pour take care, toi?

MICHELINE

Ben oui... On pense toujours que non, pis oui, on finit par être capable. Bye Joanne!

JOANNE

Veux-tu j'te dise? J'aimais mieux quand tu m'appelais Anne.

MICHELINE

(*Sourit dans ses larmes.*) Ben sûr... mais on est toutes les filles à Juliette.

Elle sort.

JOANNE

Ouain... toutes les crisse de filles à Juliette.

Elle se lève péniblement et va à la fenêtre.

JOANNE

Pis Judith qui cherche encore.

La lumière revient brusquement. Joanne ferme les yeux.

JOANNE

Oh yoye! C'est roffe, ça!

Elle éteint les chandelles sur le piano. L'ouvre.

JOANNE

Y est fini asteure, c'piano-là.

On entend la porte. Judith entre côté cour. Elle est

dépitée. Elle voit tout de suite son manteau sur le
divan. Elle se retourne vers Joanne.

JOANNE

Comme tu vois, not'sœur est honnête.

Judith flatte le manteau.

JOANNE

A t'fait dire merci pis... take care.

JUDITH

Take care?

JOANNE

Oui, take care. Pis a savait c'que ça veut dire.

Judith s'assoit épuisée en prenant le manteau dans
ses bras, comme si c'était Micheline.

JOANNE

Cognac? (*Elle s'approche.*) Ouain, cognac!

Elle va chercher un verre, lui verse un cognac, la
regarde boire.

JOANNE

J'savais pas qu't'avais appris l'piano, toi aussi?

Judith la regarde un long temps.

JUDITH

J'l'ai pas appris. J'sais pas jouer.

JOANNE

C'tait quand?

JUDITH

Quoi?

JOANNE

La passion du piano.

JUDITH

Oh... j'avais sept ans. Ça a commencé, j'avais sept ans. Toi, t'étais trop p'tite. Maman a décidé de m'faire profiter des cours. Une heure pour elle, une heure pour moi. A v'nait m'chercher après l'école à trois heures, pis à cinq heures, pimpante, en forme, a venait faire le souper d'sa famille.

JOANNE

Une heure, c'aurait pas été assez long?

JUDITH

Non, ben sûr. Le monsieur avait du talent pour deux heures.

JOANNE

Comment ça s'fait qu'on n'a jamais su ça?

JUDITH

C'tait not'secret. C'tait not'secret à maman pis à moi. C'tait la première fois qu'y existait queque chose entre elle et moi. Jamais maman m'avait tant vue, tant aimée, tant appréciée. J'te jure, j'ai commencé à exister pour elle le jour des cours de piano. C'tait pas qu'une p'tite passion. Y m'achetaient des livres d'images, pis y m'installaient dans la salle de musique, avec un disque de Bach ou Chopin. J'trouvais qu'j'étais gâtée.

JOANNE

Très délicat d'leur part.

JUDITH

Pis j'faisais mes devoirs. Chus passée de douzième à première c't'année-là! Des fois, maman m'achetait des gâteaux, des bonbons. A m'aimait!

JOANNE

Pis la lune de miel s'est finie?...

JUDITH

En c'qui m'concerne, la lune de miel s'est finie quand Micheline est née. Quand maman a eu Micheline, a l'avait pus besoin d'moi comme alibi. A l'emmenait le bébé avec elle. J'ai toujours su que c'tait sa fille à lui. Pis, c'est fou, j'me suis toujours sentie coupable.

JOANNE

Pas elle?

JUDITH

Pas une minute! Pis quand Micheline a eu quatre ans, ça s'est fini. Maman m'a dit d'aller la chercher chez l'professeur. Jamais j'oublierai sa p'tite face toute barbouillée d'larmes à côté du piano. J'sais pas pourquoi y l'avait faite pleurer. Mais j'y ai pas pardonné. A était toute p'tite, les mains pas assez grandes pour faire un accord. A était là à côté d'lui, y voyait même pas qu'a pleurait. Un aveugle. J'l'ai r'gardé, pis j'tais ben contente que maman l'aye lâché.

JOANNE

A l'aurait pu l'marier quand papa est mort. Micheline était p'tite quand y est mort.

JUDITH

L'année d'après. Mais a voulait rien savoir de lui. Y était
pas à sa hauteur! Madame l'écrasait.

JOANNE

Y avait personne à sa hauteur.

JUDITH

Qu'a pensait!

JOANNE

Bizarre que Jacqueline aye rien vu.

JUDITH

A voulait rien voir.

JOANNE

Maman aurait pu y dire depuis qu'est Alzheimer.

JUDITH

Non, non. Pas d'danger. Pis même à ça, Jacqueline ferait
semblant qu'a délire. Jacqueline a besoin d'une mère irré-
prochable. Moi, ma mère, j'ai toujours su de quoi elle était
faite. A m'a traitée en complice quand a l'a eu besoin
d'moi. C'est tout. A m'faisait des clins d'œil dans l'dos
d'papa. Pis plus tard, quand a vu qu'j'y pardonnais pas
certaines choses, a s'est mis à m'expliquer qu'être mariée
avec un cardiaque, c'tait plate dans un lit. As-tu un idée
que j'y ai pas laissé l'temps d's'expliquer là-d'sus?

JOANNE

T'as sacré ton camp.

JUDITH

J'ai attendu qu'Micheline aye quinze ans, pis j'ai sacré
mon camp.

JOANNE

Pis là, Micheline a sacré son camp avec.

JUDITH

C'est ça... (*Un temps.*)

JOANNE

Pis tu y as jamais pardonné d'pas avoir aimé Micheline?

JUDITH

Non. Trompe-toi pas. On n'est jamais aussi généreux qu'on voudrait. J'ai longtemps pensé que c'tait ça mon principal reproche, son manque d'amour pour Micheline, pour les enfants, moi y compris. Pis, en creusant un peu, j'me sus vite aperçu que c'que j'prenais pas c'tait d'avoir marché dans sa game. C'tait ma stupide, mon imbécile fierté! Pas jusse ma naïveté. J'tais fière du secret. Fière comme une tarte d'être dans l'aventure de ma mère, de l'aider à tromper papa, pis tout l'monde. Fière d'être si importante, si précieuse. Fière de faire semblant de proté-ger l'bonheur de ma mère! Si tu m'avais vue aller à mes cours de piano avec elle. A s'mettait belle, a sentait bon! Pis j'allais jusqu'à m'imaginer que c'tait un peu pour moi. Une imbécile de sept ans qui crevait d'fierté parce que sa mère l'utilisait!

JOANNE

Tu t'en passes pas gros, han?

JUDITH

J'avais rien à voir là-d'dans, pis j'me sentais tellement importante! Chus sûre que l'Être Élu a pas dû s'sentir plus fier que moi. Quand Micheline est née, maman pouvait pas la sentir. J'sais pas pourquoi, c'tait d'même. Fallait s'en occuper. Là, y avait pus d'clin d'œil, j't'en passe un papier. Finie la complicité! J'en n'ai jamais parlé. Jamais.

Pis quand j'ai eu vingt-cinq ans, maman a essayé de s'ex-cuser, une sorte d'essai d'confession. Avec toutes les belles raisons, ben sûr. Sa vie était pas facile, les épreuves, les sacrifices... On aurait dit qu'a r'commençait l'numéro d'la complicité. A faisait comme si j'comprenais d'avance. Comme si, entre nous, on s'entendait là-d'sus. Comme si j'pouvais encore être aussi fière qu'à sept ans, aussi niai-seuse. Ça avait queque chose de sale, d'écœurant... J'ai dit que l'numéro du martyre j'm'en passais, pis chus partie. (*Elle finit son verre, se lève.*) Comme Micheline... Pis là, j'm'en vas.

JOANNE

Crisse, on s'croirait dans une gare ici!

JUDITH

Reste pas ici. Y a pas d'air.

JOANNE

Y en a pas gros chez nous non plus.

JUDITH

Pourquoi tu restes?

JOANNE

Pour voir Hervé partir.

JUDITH

Sauve-toi, pis vite. Pars avant qu'y parte. Ça va t'laisser une meilleure impression.

JOANNE

Ça va faire du monde sus l'train.

JUDITH

C'est faite pour ça les trains. (*Elle met son manteau.*) Pas besoin d'te dire que j'viendrai pas aux funérailles.

JOANNE

Jacqueline va avoir de quoi à déplorer.

JUDITH

Est ben d'même. A l'aime ça d'même. Quand maman va mourir, a va écraser.

JOANNE

Probable.

JUDITH

Tu vois, ça a ça d'pratique d'avoir faite ses deuils de bonne heure.

JOANNE

Quand on les a faites.

JUDITH

Salut Joanne. Pète-toi pas trop a tête sus ton mur.

JOANNE

Fais-toi-z-en pas, j'ai d'quoi m'ramollir le cerveau.

JUDITH

Ouain, c'est ben c'que j'voulais dire. (*Elle l'embrasse.*) Take care.

JOANNE

Ouain. Toi avec.

> *Judith sort. Joanne remplit son verre et monte doucement sur la mezzanine. Elle regarde le salon, lève son verre.*

JOANNE

Juliette! Ta famille s'en va sus l'cul! Ta famille respectable respecte pus rien! Juliette Tessier, tu vas mourir sans voir le fond d'l'assiette! T'es ben chanceuse!

Elle entre dans la chambre de Micheline, fait le tour doucement. Puis, elle met le disque que Micheline écoutait toujours. Elle le met fort. Elle sort sur la mezzanine et écoute en buvant. Jacqueline sort.

JACQUELINE

Miche! Veux-tu!... Cé qu'tu fais là, toi? Tu vas réveiller tout l'monde.

JOANNE

Les morts avec? Envoye les morts, réveillez-vous! Gang de cadavres puants, réveillez-vous! Levez-vous deboutte pis ayez pas honte de c'que vous êtes!

Jacqueline va arrêter le disque. Elle revient, furieuse.

JACQUELINE

T'es packetée, toi!

JOANNE

Crisse de découverte que t'as faite là!

JACQUELINE

Te rends-tu compte que t'es médecin? Qu'on peut t'appeler n'importe quand? Que tu pourrais commettre une erreur?

JOANNE

Pis? Penses-tu que j'serais la première pis la seule? Y a rien qu'toi qui s'imagines qu'a peut pas faire d'erreur.

JACQUELINE

Joanne, essaye d'être raisonnable.

JOANNE

Sais-tu c'que j'ferais si j'tais raisonnable? Han? Sais-tu

c'que j'ferais? Une belle piqûre au fantôme qu'y a d'l'aut'
bord, pis une bombe dans c'te maison-là. J'm'enlignerais
un paquet de p'tites pelules sus l'bord de t'ça (*la rampe*)
pis j'les avalerais jusqu'à dernière. Fa que, comme chus pas
raisonnable, j'la laisse crever à p'tits feux, pis j'm'écrase à
p'tits coups. I'll drink to that! (*Elle finit son verre.*)

JACQUELINE

C'est dégoûtant! Vraiment, c'est dégoûtant!

JOANNE

Quand tu vas être dans vraie vie, tu vas voir que c'est pire
que ça. Attends! Attends ton tour!

JACQUELINE

Joanne, j'vas être franche avec toi: si tu parles encore une
seule fois d'aider maman à mourir, j'te dénonce. J'porte
plainte. Que tu sois ma sœur changera rien à l'affaire. J'dis
qu't'es t'une alcoolique pis qu't'es t'un danger pour tes
malades. On risque pas la vie du monde de même. T'as
des responsabilités. Arrête de boire ou ben arrête de pra-
tiquer.

JOANNE

La voix d'la raison! Tu sais toute, han, ma câlice? Tu sais
toute, toi? Toi, t'es pas l'genre à oublier, t'es pas l'genre
au black-out, han? Toi, tes épreuves, t'é prends digne-
ment, comme une reine.

JACQUELINE

Veux-tu ben m'dire quelle épreuve tu traverses? Tu t'en
fais même pas pour maman!

JOANNE

Ben oui: qué cé qu'j'ai perdu qu'j'ai jamais eu? Han?
J'aurais-tu l'droit d'avoir perdu queque chose que j'ai
jamais eu?

JACQUELINE

T'es complètement folle!

JOANNE

Pourquoi on a une famille si c'est pour être tu-seul? Pourquoi on apprend l'piano, si c'est pour jamais jouer? Pourquoi on s'souvient de rien pis d'personne? Parce qu'y a rien eu, pis qu'y avait personne? Te souviens-tu d'ton père, toi? Pourquoi ça fait jamais?

JACQUELINE

Parce que t'es saoule, pis c'est toute!

JOANNE

O.K., Jacqueline, O.K. Va voir maman. Pleure un bon coup. Toi, au moins, tes larmes sont respectables. C'pas des larmes d'ivrogne. Toi, t'as d'la classe. Tu vas te t'nir comme un p'tit soldat à côté d'ta mère, pis tu vas garder sa mort comme sa tombe. Pis tu vas faire comme elle après: tu vas élever tes enfants pis t'é toucheras jamais. Tu vas leur choisir un mari pis une femme, pis tu vas les écœurer l'restant d'tes jours sous prétexte que tu leur veux du bien. Pis un jour, probablement qu'ça va être l'automne, un jour tu vas avoir un drôle de goût dans bouche. Tu vas essayer d'trouver quequ'un à qui en parler, pis tu trouveras personne. C'jour-là, tu vas même te dire que, si ta mère était pas morte, t'aurais pu y en parler. Mais c'pas vrai. Pis tu l'sauras pas. C'qui est vrai, c'est qu'on parle jusse à nos morts, à nos p'tits cadavres ben enlignés qui puent dans nous autres. Si t'étais un vrai être humain, Jacqueline, tu parlerais aux êtres humains. Mais t'es comme moi: tu t'attaches à c'qui meurt, pis pas à c'qui vit. On devrait prendre le train nous aut' avec. Prendre le train avant de se r'trouver en d'sous d'la galerie à chercher un piano pour étouffer la souffrance.

JACQUELINE

Vraiment, tu délires, tu devrais aller t'coucher.

JOANNE

J'ai d'la peine, Jacqueline. Peux-tu comprendre ça? Les sœurs que j'aimais l'plusse sont parties. Y ont sacré l'camp avant d'être changées en statues d'sel. Mes sœurs vivantes sont parties. Tout c'qui reste icitte, c'est les cadavres.

JACQUELINE

Très aimable de ta part.

JOANNE

Non, c'pas aimable, je l'sais. C'pas aimable. Mais même aimable, tu m'aimerais pas. (*Elle la regarde.*) Sais-tu qu'Hervé t'admire beaucoup? J'aurais dû m'méfier aussi. J'aurais dû trouver ça bizarre. J'pense que j'ai dû l'marier parce qu'y m'méprisait autant qu'toi pis ma mère. (*Elle rit et tire son verre dans le salon.*) Mais jamais autant qu'moi!

JACQUELINE

As-tu décidé de défaire la maison aujourd'hui?

JOANNE

Tu slackes pas, han? T'apprendras jamais rien, toi!

JACQUELINE

Oui, oui: in vino veritas! Si c'est tout c'que tu trouves, merci pour moi.

JOANNE

Non, c'pas tout c'que j'trouve. Mais j'vois pas pourquoi j'te ferais profiter de c'que j'sais. Pour toi, j'serai toujours une minable. Fais attention, han, fais attention Jacqueline: tu t'haïrais qu'ça m'surprendrait pas! Ouain, ça serait ton genre, ça.

Elle descend précautionneusement l'escalier.

JACQUELINE

Où tu vas, là? Les autres sont-tu parties ou ben c'est un mensonge d'ivrogne? Avez-vous r'trouvé Miche?

JOANNE

Micheline! A s'appelle Micheline! As-tu r'marqué qu'c'est la seule qui s'appelle pas avec un J dans c'te famille de fous-là?

JACQUELINE

Ben oui, ben oui, j'ai remarqué. Où est-ce qu'elle est?

JOANNE

En sécurité. En d'sous d'la galerie.

JACQUELINE

Es-tu sérieuse, là?

JOANNE

J'te l'ai dit: j'te ferai pas profiter d'mon savoir. A va ben. A dit bonjour. Judith avec. Y disent take care.

JACQUELINE

Sont parties ensemble, c'est ça?

JOANNE

Sont parties. Y ont pris l'train. Y ont laissé leur maman mourir en paix. Y r'viendront pus dans l'nid.

JACQUELINE

Y ont pas pris l'avion? Comment allait Miche?

JOANNE

Très bien. Tout est sous contrôle, Jacqueline. Ton conseil de famille a été un succès. Un franc succès. Oùsqu'est mon verre?

Elle le cherche.

JACQUELINE

Tu devrais arrêter d'boire, Joanne.

JOANNE

Tu devrais fermer ta gueule, Jacqueline.

JACQUELINE

Fais c'que tu voudras, j't'aurai avertie.

*Elle vient pour aller dans la chambre de sa mère.
Joanne crie.*

JOANNE

Jacqueline! (*Jacqueline revient sur la mezzanine.*) Qu'est-
ce qui pourrait m'arriver d'mieux, tu penses?

JACQUELINE

(*La regarde, hésite.*) C'est quoi encore, là?

JOANNE

Qu'est-ce qui pourrait m'arriver d'mieux, tu penses?

JACQUELINE

Eh qu't'es fatiquante!

JOANNE

Réponds! (*Elle crie.*) Qu'est-ce qui pourrait m'arriver
d'mieux?

JACQUELINE

Tu vas réveiller maman, tais-toi donc!

JOANNE

On réveille pas les morts, aie pas peur. Envoye, réponds:
qu'est-ce qui pourrait...

JACQUELINE

... que t'arrêtes de boire!

JOANNE

Non madame! Non, c'est pas c'que tu penses. La vérité !
J'veux la vérité. Qu'est-ce qui pourrait m'arriver d'mieux?
J'vas t'faire une p'tite révision: mon mari veut divorcer,
j'ai pas d'enfant, une mère Alzheimer sur son dernier
boutte, deux sœurs exilées qui ont vraiment pas besoin
d'moi, une sœur que j'écœure, une vie professionnelle
menacée... Oui, madame, menacée! Je dois t'avouer en ce
petit matin d'hiver que j'ai déjà perdu deux patients par
ma faute, ma grande faute, ma très grande faute! Et que
c'est pas fini si j'continue à boire. Pis, à part de t'ça? C'est
toute! Ah non: j'oubliais que j'ai en plusse aucune raison
d'boire. Tu vas être d'accord avec moi: ma mère est pas
encore morte, pis Hervé est pas encore parti. Euh... ça c'est
moins sûr, mais en tout cas... Alors? Qu'est-ce qui pourrait m'arriver d'mieux?

JACQUELINE

Laisse faire O.K.?

JOANNE

Veux-tu des choix multiples? M'as t'aider, j'serai pas
cheap. A) Que je meure, B) Que je meure, C) Que je
meure. Han? Réponse?

JACQUELINE

Tu fais pas pitié, Joanne, si c'est c'que tu cherches.

JOANNE

Non, c'pas ça, justement. T'as pas compris, là. C'est
l'heure de vérité. Dans l'alcool, y a toujours une heure de
vérité. Ben là, c'est là.

JACQUELINE

Si ça t'fait rien. (*Elle retourne vers la chambre.*)

JOANNE

(*Elle hurle.*) NON! Ça m'fait pas rien! Reste là! C'est toi qui restes? Ben, c'est toi qui vas parler avec moi. That's it! On s'aime pas? C'pas grave! Si y fallait attendre d'aimer l'monde, on s'parlerait jamais. C'est mieux quand on s'haït, là ça sort. T'es tannée là, han? Toffe encore un peu. J'cherche une réponse, jusse une tite réponse pis j'sacre mon camp. Pourquoi j'meure pas? Pourquoi j'm'ostine? Pourquoi j'm'acharne? J'vas t'faire un aveu, Jacqueline: j'en ai vu du monde mourir, j'en ai vu pas mal. J'ai vu du cancer, du sida, d'la pneumonie ordinaire, d'la crise cardiaque, de l'Alzheimer... ben, chaque fois, chaque maudite fois, même quand y sont vieux, même quand y ont souffert deux pis trois fois plusse qu'un être humain devrait souffrir, y tiennent le coup, y s'ostinent, y *veulent pas mourir*. Y leur reste un quart de souffle, une fraction d'poumon, y ont pus d'tête, pus rien, y resse jusse un animal dans un lit, un animal qui s'bat pour respirer encore, encore un coup, pis un autre, pis c'est jamais l'dernier. Toutes les agonies sont d'même. Toutes! Même quand y a pus d'espoir, pus d'esprit, pus d'yeux, même aveugles, même sourds, y luttent. Y luttent comme des bêtes pris au piège pour prendre encore un respir. Pis toi, à côté, à chaque fois, tu penses que c'est l'dernier, t'espères que c'est l'dernier, tu pries pour que ça soye le dernier. Pis toujours, y trouvent la force d'en prendre un autre, comme si l'animal voulait pas s'arrêter, comme si y pouvait pas lâcher prise. Comme si c'te volonté-là, le désir de vivre, était plus fort que toute. Plus fort que l'conscient, plus fort qu'la marde qu'on ramasse dans vie. D'où ça vient, ça? Y en a qui sont tu-seuls, qui ont pus rien, pus personne, pis y luttent pareil. Y lâchent pas. Ça veut pas. Veux-tu ben m'dire c'est quoi ça? C'est quoi c'te force-là? Quand toute veut mourir, y a toujours de quoi qui veut pas! Pourquoi?

JACQUELINE

Tu m'demandes pourquoi t'arrives pas à mourir?

JOANNE

Sais pas. J'sais pas pourquoi y vivent. J'ai vu des suicidés résister comme des cancéreux. J'comprends pas. Mais j'sais que j'peux pas m'tuer parce qu'y a un animal dans moi qui lutterait, pis qui s'mettrait à courir pis à s'battre pour pas que j'meure. Des fois l'envie est forte en hestie, pis j'ai toujours peur de m'faire avoir par c'te force-là en d'dans, que j'connais pas, mais qui est là. Que j'ai vue dans toutes les agonies.

JACQUELINE

C'est pour ça qu'y faut laisser maman vivre sa maladie jusqu'au bout.

JOANNE

J'y toucherai pas à ta mère. Tu l'sais ben.

JACQUELINE

C'est ta mère aussi.

JOANNE

Phtt!... Si peu... (*Elle frappe sa poitrine.*) Est icitte, ma mère! Mon père, ma mère, mon enfant! Toute c'qui m'tient deboutte est icitte, pis jusse là. Rien avant. Rien après. Avec l'envie d'mourir pis l'envie d'vivre. Toute dans même personne. Souffrance et plaisir inclus. Pis y a pas de d'sous d'galerie où j'pourrais m'cacher. Pas d'terre pour enterrer mes morts. Y sont dans moi. Pis j'me remplirai pas la bouche de terre pour les étouffer. Parce que j'm'étoufferais avec... Qui c'est qui a dit que c'tait facile de vivre?... Y devait être chaud en hestie! On s'promène avec une poignée d'terre dans chaque main, pis l'envie de s'les fourrer dans bouche pour étouffer toutes les cris, toutes les cris qu'y faut qu'y restent en-d'dans... (*Temps.*) J'ai envie d'mourir, Jacqueline. Être sûre que j'me débattrais pas, être sûre que j'laisserais faire pour le dernier respir, j'te jure que j'me tuerais. Fini. Finis les cris. D'la terre plein la gueule. D'la terre sur mes morts. Mes maudits morts qui pèsent.

> *Jacqueline veut descendre. Joanne ne la regarde pas, elle la sent.*

JOANNE

Non! Descends pas. Tu peux pas m'consoler. Tu l'sais ben. On peut jusse s'énerver. T'as tes morts toi avec. T'é sens pas, c'est toute. On a chacun nos morts. Chacun nos poids, pis not' envie d'mourir. La seule gloire, c'est d'survivre... en essayant d'rester humain. Humain! Big deal!

> *Le téléphone sonne. Jacqueline descend.*

JACQUELINE

Y est sept heures. Ça doit être les enfants ou ben Jean-Paul.

> *Elle va dans la cuisine. Joanne met son manteau.*

JOANNE

Ou ben Hervé. Mais chus pas là si c'est Hervé... Ça va m'laisser une meilleure impression, han Judith? (*Elle lève la tête vers la mezzanine.*) Bye, maman! Ostinez-vous pas trop à respirer. Ici, ça sert à rien. On étouffe.

Elle sort avec son verre. Jacqueline revient. Elle soupire devant l'état du salon. Elle range la bouteille, ramasse verre ou débris, selon le cas, fait de l'ordre pendant que l'éclairage baisse. On entend du piano pendant que Jacqueline remonte dans la chambre de sa mère.

FIN

CET OUVRAGE
COMPOSÉ EN GARAMOND RÉGULIER CORPS 12 SUR 14
A ÉTÉ ACHEVÉ D'IMPRIMER
LE VINGT-HUIT OCTOBRE
MIL NEUF CENT QUATRE-VINGT-SEPT
PAR LES TRAVAILLEUSES ET TRAVAILLEURS
DES PRESSES DE L'IMPRIMERIE GAGNÉ LTÉE
À LOUISEVILLE
POUR LE COMPTE DE
VLB ÉDITEUR.

IMPRIMÉ AU QUÉBEC (CANADA)